Santé & Bien-être

A. Schwarz

R. Schweppe

LE THÉ VERT

Élixir de vie pour le corps et l'esprit

- Cérémonies du thé : apprendre à se ressourcer
- Plaisir sain : prévenir et soigner les maladies
- En complément : jeûne forme et minceur de 5 jours.

VIGOT

Sommaire

PRATIQUE

Avertissement

Vous trouverez dans ce livre des suggestions sur l'utilisation du thé vert en usage interne et externe pour soulager les maux courants, renforcer l'action d'autres traitements ou prendre soin de votre corps. C'est à chaque lecteur ou lectrice qu'il revient de juger, en fonction de son propre cas, dans quelle mesure il y a lieu d'avoir recours à ces méthodes.
Par mesure de sécurité, conformez-vous pour chaque application aux instructions afférentes ainsi qu'aux indications concernant le dosage. Si vous suivez déjà un traitement, demandez à votre médecin s'il ne voit pas d'inconvénient à ce que vous recouriez au thé vert à titre complémentaire.
Le jeûne détoxifiant de 5 jours s'adresse uniquement aux personnes en bonne santé. En cas de doute, demandez l'avis de votre médecin. Les auteurs et l'éditeur déclinent toute responsabilité.

Avant-propos

Le café et le thé noir font sans doute partie des produits d'agrément les plus appréciés en Occident. Il est impossible à la plupart d'entre nous d'envisager un petit-déjeuner sans un grand bol de café ou une théière de « Breakfast Tea ». Pourtant, le thé vert, boisson originaire d'Asie, fait de plus en plus d'adeptes. À l'inverse du café et du thé noir, excitants et potentiellement nocifs pour l'estomac, le thé vert est un stimulant doux qui présente en plus l'avantage de posséder d'innombrables vertus médicinales.

Boisson traditionnelle, stimulante et salutaire

De nombreuses études scientifiques ont montré l'intérêt de cet élixir de vie traditionnel tout droit venu d'Extrême-Orient. Il a par exemple été prouvé que la consommation régulière de thé vert avait un effet préventif sur les maladies cardiovasculaires et qu'elle diminuait le risque de cancer. Mais il est une autre raison au succès grandissant que connaît actuellement ce produit : son action à la fois équilibrante et stimulante sur le corps et l'esprit. Le thé vert, préparé et dégusté dans les règles, aide à combattre le stress, calme les nerfs, stimule l'esprit et augmente la capacité de concentration. C'est donc la boisson idéale pour qui doit, au travail comme à la maison, garder les idées claires tout en restant détendu.

Vous découvrirez dans ce livre tout ce que peut le thé vert pour le confort du corps, de l'âme et de l'esprit. Vous y trouverez la description des thés les plus courants ainsi que des conseils concernant l'achat et la préparation. Vous apprendrez comment vous en servir pour améliorer votre état de santé général, éviter de tomber malade, soulager les maux courants et prendre soin de votre corps. Vous verrez enfin combien la disposition intérieure est importante pour profiter de tous les bénéfices du thé vert. En respectant quelques règles simples, vous ferez de vos « pauses thé » des moments privilégiés, propices au délassement et au recentrage.

Fortifie le corps et l'esprit

Aljoscha Schwarz et Ronald Schweppe

Un plaisir sain de tradition ancestrale

« Le premier bol onctueusement humecte lèvres et gosier ; le deuxième bannit toute ma solitude ; le troisième dissipe la lourdeur de mon esprit ; le quatrième produit une légère transpiration, dispersant par mes pores les afflictions de toute une vie ; le cinquième bol purifie tous les atomes de mon être ; le sixième me fait de la race des Immortels ». C'est ainsi qu'il y a plus de mille ans un moine chinois vantait les bienfaits extraordinaires du thé sur le corps, l'esprit et l'âme. L'action de cette plante stimulante et salutaire, originaire d'Extrême-Orient, est désormais prouvée scientifiquement. Il n'y a donc pas à s'étonner du succès que connaît actuellement le thé vert de par le monde.

Brève histoire du thé

La naissance du thé se perd dans la nuit des temps. Bien que les avis des historiens divergent et qu'on ne dispose que de très peu de renseignements fiables sur les débuts de cette boisson, il semble à peu près certain qu'elle était déjà connue en Chine il y a près de 5 000 ans – davantage, il est vrai, comme remède que comme boisson d'agrément. On sait également qu'à l'origine le thé était toujours consommé vert, c'est-à-dire non fermenté, car, pour qu'elles conservent ses vertus, les feuilles étaient simplement passées à la vapeur avant d'être séchées.

Début de la tradition du thé

La découverte de l'empereur Sheng Nung

De nombreuses légendes relatent la découverte du thé. La plus ancienne est celle de l'empereur Sheng Nung (2737-2697 av. J. -C.), considéré en Chine comme le « père de la médecine » pour avoir testé des centaines de plantes médicinales. Après une partie de chasse éprouvante, il aurait mis de l'eau à bouillir afin de se désaltérer, comme le veut la coutume extrême-orientale. Quelques feuilles d'un arbuste sauvage seraient alors tombées dans sa tasse, conférant à l'eau une couleur verdâtre et un parfum exquis. Intrigué, l'empereur aurait décidé de goûter le breuvage, l'aurait trouvé fort bon et aurait redoublé d'enthousiasme en constatant son effet revigorant.

Tout commence en Chine

Lao-Tseu et le thé

Le thé vert tel que nous le connaissons actuellement a sans aucun doute pour origine la Chine Ancienne, où le théier était cultivé dans les jardins des monastères. On sait que Lao-Tseu (vers 600-500 av. J. -C.), fondateur du taoïsme, l'appréciait beaucoup pour ses propriétés désaltérantes et tonifiantes.

Toutefois, en dehors de quelques faits établis, l'histoire du thé vert relève davantage de la conjecture que de la certitude. Des documents nous apprennent qu'en 98 apr. J. -C. l'empereur Wu-Ti, en décidant de taxer les boissons alcoolisées, contribua involontairement à sa popularisation, le thé vert devenant alors une alternative bon marché au vin de riz. Sous la première dynastie Han (202 av. J. -C. – 1 apr. J. -C.), la culture du théier sortit pour la première fois de l'enceinte des cloîtres. À cette époque, le thé jouissait en Chine d'une grande renommée puisque la cour exigeait de ses vassaux qu'ils lui reversent une partie de leur récolte en guise d'impôt. Plus tard l'épouse de l'empereur Fu-Qian-Liang (vers 370 apr. J. -C.) incitera le peuple à consommer du thé, «boisson délicieuse et non enivrante». Aux IVe et Ve siècles, la tradition du thé était surtout vivace en Chine méridionale. Les habitants de la vallée du Yangzi Jiang aimaient le thé vert par-dessus tout et, pour récompenser leurs ministres de leurs bons et loyaux services, les empereurs de l'époque leur confiaient les secrets de sa préparation.

Impôt en nature

Le thé fut longtemps réservé à la cour

Il fallut toutefois attendre le VIIIe siècle pour que la consommation du thé s'étende à toutes les couches de la société chinoise. Sous la dynastie Song (960-1127) – époque romantique de la culture chinoise – c'est à l'empereur Hui Tsung (1101-1025) que revient l'honneur d'avoir élevé l'art du thé à de nouvelles cimes. Fin connaisseur, il dépensa des fortunes dans l'achat de thés précieux et consacra un célèbre traité à vingt d'entre eux.

Exportation vers le Tibet et le Japon

Le Tibet et le Japon furent les premiers pays en dehors de la Chine à se mettre au thé vert. Les sources les plus anciennes mentionnant l'importation par le Tibet de thé en provenance de Chine remontent au VIIe siècle. Les routes empruntées par les caravanes à travers la Mongolie comptent parmi les plus anciennes voies commerciales. C'est le fils du roi Srong-btsan-Sgam-po (629-698 de notre ère) qui eut l'idée de faire venir la précieuse marchandise de Chine sous forme de briques de feuilles séchées et pressées. Aujourd'hui, le Tibet est le pays qui affiche la plus forte consommation de thé vert par habitant. Les nomades tibétains, qui, du fait de la rigueur du climat, ont rarement l'occasion de manger des légumes et des fruits frais, boivent de grandes quantités de thé vert pour se prémunir contre les maladies dues au manque de vitamines.

Le thé vert comme source de vitamines

Le Japon découvrit le thé vert aux alentours de 552, c'est-à-dire à l'époque où il était en passe de devenir boisson nationale en Chine. Ce sont des moines bouddhistes qui l'y introduisirent via la Corée. Le document japonais le plus ancien mentionnant l'existence du thé remonte à 729. Il y est question de l'empereur Shomu qui offre le thé à cent moines bouddhistes en son palais, donnant ainsi le coup d'envoi de la culture du thé au pays du soleil levant. Le bouddhisme fut pour beaucoup dans le suc-

Les routes du thé en Asie comptent parmi les plus anciennes voies commerciales

Caravane de thé en Asie

cès que connût le thé dans l'archipel nippon, d'abord auprès des élites, puis plus largement. Ce sont les Japonais qui, en instituant un véritable cérémonial, sont allés le plus loin dans l'art du thé.

Japon, berceau de l'art du thé

Arrivée tardive en Europe

Pour terminer cette brève histoire du thé, voyons comment les choses se passèrent en Europe et en Russie. Le thé fut introduit en Occident dès le Moyen Âge par des marchands arabes, mais ce n'est qu'au XVIIe siècle qu'on commença réellement à s'y intéresser autrement que comme à une curiosité. Les premiers lots atteignirent l'Europe au XIVe siècle via la Route de la soie – vieille voie caravanière reliant la Chine à l'Asie centrale et à l'Inde – mais les arrivages étaient rares. En 1610, un navire de la Compagnie hollandaise des Indes orientales ramenait aux Pays-Bas une première cargaison conséquente.

En Europe via la Route de la soie

Il suffit en 1618 de quelques caisses de thé offertes par l'ambassadeur de Chine au tsar Alexis pour que se développe entre la Russie et son voisin asiatique un commerce florissant. La boisson parvint en Angleterre via la Russie et la France vers 1650. Avant d'y connaître la fortune que l'on sait, elle y fut tout d'abord réservée à l'aristocratie. Cinq cents grammes de thé coûtaient alors environ l'équivalent de 80 euros. À partir du milieu du XIXe siècle, les Anglais établirent des plantations en Inde et au Sri Lanka, rendant ainsi cette boisson accessible au plus grand nombre. Jusqu'à cette époque, les Européens ne consommaient probablement que du thé vert, car la production de thé noir dans les colonies britanniques ne commença vraiment qu'au début du XXe siècle.

En Allemagne, les choses se sont passées très différemment. Le thé n'a commencé à s'y propager qu'au début du XIXe siècle et ce n'est que dans les dernières décennies du XXe siècle que sa consommation a vraiment démarré. Longtemps on n'y a bu que du thé noir, mais depuis quelques années, le thé vert, que l'on sait désormais plus sain et plus digeste, y fait de plus en plus d'adeptes.

Retour du thé vert sur le devant de la scène

Remède ancestral

Boisson d'agrément à vertus médicinales

À l'origine, le thé vert n'était pas considéré comme une boisson d'agrément, mais plutôt comme un remède. On lui attribuait le pouvoir de soigner différentes affections, comme les maux de tête, l'apathie ou la baisse d'acuité visuelle. Dans l'Antiquité, les Chinois disaient de lui qu'il stimulait la circulation, purifiait le corps, faisait briller les yeux, délassait les membres et éclaircissait l'esprit. Il semble que les feuilles de théier non fermentées, passées à la vapeur (voir p. 16), aient été mentionnées dans les ouvrages de botaniques et de médecine dès 600 av. J.-C. Il est déjà question de la plante dans le « Rh-ya », dictionnaire remontant au XIIe siècle av. J. -C. Un sage chinois du nom Tsching-Mung, qui vécut vers 560 de notre ère achève son ode au thé par ces mots : « Le thé n'enivre pas. C'est pourquoi il est meilleur que le vin ».

C'est en partie grâce à Lu-Yu, durant la période classique, que le thé, de remède qu'il était, devint une boisson populaire. À sa mort, en 804, le poète légua le premier ouvrage important entièrement consacré au thé : le *Cha Jing*. Vers la même époque, le moine Lu-Tung attirait l'attention sur les effets psychiques et spirituels de cette boisson :

Ode au thé

Breuvage divin et remède miraculeux

« Le premier bol onctueusement humecte lèvres et gosier ; le deuxième bannit toute ma solitude ; le troisième dissipe la lourdeur de mon esprit ; le quatrième produit une légère transpiration, dispersant par mes pores les afflictions de toute une vie ; le cinquième bol purifie tous les atomes de mon être ; le sixième me fait de la race des Immortels ».

Boisson royale

Le thé vert était déjà apprécié des anciens Chinois pour ses propriétés médicinales

On sait que vers l'an 900, le thé vert était apprécié comme boisson par la cour chinoise et qu'à partir de ce moment, la coutume du thé allait se propager peu à peu dans toutes les couches de la société.

Remède pour les rois

En Europe également, ses effets bénéfiques sur la santé valurent rapidement au thé un franc succès auprès des puissants. Ainsi, le médecin personnel du prince électeur de Saxe Auguste II (1670-1733) lui recommandait-il d'en boire jusqu'à 200 tasses par jour – chose qui, malgré toutes les vertus du thé vert, ne saurait être aujourd'hui raisonnablement conseillée. Aux Pays-Bas, le thé fut vendu au début en petite quantité comme remède par les apothicaires. En France, Louis XIV buvait du thé pour soigner sa goutte, comme cela se pratiquait en Extrême-Orient. Sur un prospectus publié en 1660 par le café londonien Garway's datant de 1660, on peut lire la chose suivante : « (Tea) maketh the body active and lusty » (le thé rend le corps actif et vigoureux). Toujours selon ce document, il « vainc les cauchemars, renforce la mémoire et garde l'esprit éveillé sans dommages pour le corps ».

Des études récentes, réalisées pour la plupart par des chercheurs japonais, ont amplement démontré les effets curatifs du thé vert, si bien que cette boisson millénaire est en passe de retrouver son statut de remède naturel.

Le théier

Le théier (*Camellia sinensis* ou *Thea sinensis*) est un petit arbre à feuillage persistant, portant des fleurs blanches à rose foncé composées de cinq pétales et des feuilles légèrement coriaces. La fleur de théier exhale un parfum agréable. C'est en altitude (jusqu'à 2000 m) que la plante se développe le mieux. Pour une croissance optimale, il lui faut une température annuelle moyenne d'à peu près 18-19 °C, environ 4 heures de soleil direct par jour et beaucoup d'humidité. Aussi est-ce en climat équatorial et subtropical humide que le théier pousse le mieux.

Le théier peut se cultiver sous forme buissonnante

Thé de Chine et thé d'Assam

Le théier se plaît en altitude

Le mot thé désigne les bourgeons et jeunes feuilles séchés du théier, plante dont il existe deux variétés : le théier de Chine (*Camellia sinensis*) et le théier d'Assam (*Camellia sinensis* var. *assamica*). Alors que le thé de Chine est cultivé non seulement dans des régions subtropicales mais aussi en zone tempérée, le thé d'Assam pousse presque uniquement dans les régions subtropicales, où, avec le temps, les deux formes ont fini par se croiser. Les principaux pays producteurs de thé noir sont l'Inde et le Sri Lanka (Ceylan), alors que le thé vert vient plutôt du Japon et de Chine.

Dans les plantations chinoises, japonaises et indiennes, le théier se cultive sous forme buissonnante. Pour cela, les graines sont mises à germer en milieu humide, puis plantées en lignes.

Pour la première récolte de printemps, la cueillette se fait manuellement

La cueillette

La cueillette, qui se pratique encore souvent à la main, a généralement lieu l'été, du moins dans les régions montagneuses et les régions subtropicales. En climat équatorial, comme, par exemple, en Malaisie, elle peut avoir lieu d'un bout à l'autre de l'année.

Cueillette à la main ou à la machine

Dans les plantations modernes, la cueillette se pratique de plus en plus souvent à la machine. La méthode mécanique est beaucoup plus rentable que la méthode manuelle, mais c'est au détriment de la qualité et de la diversité, car elle ne permet pas la cueillette sélective. Selon que l'on prélève les bourgeons seuls, les jeunes feuilles ou les feuilles matures, la qualité n'est pas la même. Au Japon, les cueilleuses veillent depuis toujours à ne choisir des jeunes pousses uniquement composées de deux feuilles et du bourgeon.

Cependant, même au Japon, face à l'augmentation de la demande, une partie de la production est aujourd'hui cueillie mécaniquement. Heureusement, beaucoup de producteurs mettent encore un point d'honneur à faire appel à des cueilleuses au moins pour la première récolte de printemps, qui commence à la fin du mois d'avril, de manière à ne pas décevoir les attentes des connaisseurs en matière de qualité (voir p. 20).

First flush – récolte de printemps

Thé vert ou thé noir ?

Avant d'aborder la question des différents thés verts et de leur mode de préparation respectif, il convient de dire quelques mots de la distinction entre les deux principaux types de thé, le thé noir et le thé vert. La consommation de thé vert, bien qu'en constante augmentation, reste en Europe encore très minoritaire par rapport à celle du thé noir, popularisé par les Anglais à la fin du XIXe siècle. Cela tient peut-être au fait que le thé vert se consomme essentiellement pur et non mélangé, ce qui n'est pas dans les habitudes des Européens, qui aiment à sucrer leur thé, voire à y ajouter du lait. Cependant, thé noir et thé vert proviennent de la même plante.

Du thé vert au thé noir

Vapeur ou fermentation ?

La principale différence entre le thé vert et le thé noir réside dans le procédé de fabrication :

• Pour le thé vert, les jeunes feuilles fraîchement cueillies sont directement passées à la vapeur, roulées, puis séchées. Elles conservent ainsi leur couleur verte.

• Pour le thé noir, les feuilles sont tout d'abord mises à flétrir, après quoi elles sont roulées serrées de manière à fermenter. C'est ainsi qu'elles prennent cette couleur rouge-brun et cet arôme qui les caractérisent.

La théine devient plus active

Le processus de fermentation provoque une modification de la composition chimique de la feuille de thé. Sa teneur en tanins diminue et la théine, en partie libre, est plus active et plus vite absorbée par l'organisme, raison pour laquelle le thé noir excite davantage que le thé vert. Par ailleurs, la fermentation entraîne la destruction de certaines substances actives, telles que les vitamines et les minéraux. Le thé vert japonais ne subit en règle générale pas la moindre fermentation. Le traitement à la vapeur assure la préservation non seulement de la couleur verte, mais aussi des nombreuses substances utiles contenues dans la feuille.

Préservation des substances précieuses

Transformation du thé vert

Passées à la vapeur, roulées et séchées

Lors de la récolte, qui a lieu a lieu à partir de la fin du mois d'avril, les feuilles sont cueillies, traditionnellement à la main, et immédiatement envoyées à l'usine. Là, elles sont déposées sur un tapis roulant et passées dans un générateur de vapeur, dans lequel elles sont chauffées très rapidement à haute température, de manière à ce que la fermentation ne puisse pas avoir lieu. Une fois refroidies, elles sont roulées à la machine, séchées à chaud ou à froid, puis conditionnées pour la vente. Contrairement aux Japonais, les Chinois laissent souvent fermenter légèrement leurs feuilles avant de les passer à la vapeur. On parle alors de thé semi-fermenté.

Différences thé noir – thé vert

Thé noir

Provenance :	Inde et Ceylan
Fabrication :	flétrissage, fermentation et séchage
Couleur :	rouge-brun
Action :	libération rapide de théine, qui agit sur le cœur et les vaisseaux sanguins
Usage :	boisson d'agrément uniquement

Thé vert

Provenance :	Japon et Chine
Fabrication :	passage à la vapeur et séchage
Couleur :	jaune citron à verdâtre
Action :	libération lente de la théine, qui agit par l'intermédiaire du système nerveux central
Usage :	boisson d'agrément et remède

Aperçu des principaux thés verts

La qualité est un critère essentiel dans le choix d'un thé vert, car sinon vous vous lasserez rapidement de cette boisson et retournerez à votre bon vieux thé noir.
Pour devenir un véritable connaisseur, il faut s'armer de patience, car il existe aujourd'hui une grande quantité de thés de provenances, de qualités et de goûts très divers. Mais ne vous laissez pas impressionner – les boutiques de thé mettent toujours à la disposition de leur clientèle des catalogues explicatifs dans lesquels sont mentionnées les principales caractéristiques de chaque produit proposé. Comment toutefois reconnaître un thé de qualité supérieure à un thé ordinaire ? Il y a d'abord évidemment le prix, qui permet de se faire une idée. Les bons thés peuvent paraître un peu coûteux, mais il faut tenir compte du fait qu'on peut les faire infuser jusqu'à quatre fois, si bien qu'en définitive, malgré un prix d'achat supérieur, le thé vert revient souvent moins cher que le thé noir.

Grande diversité

Pour vous y retrouver dans les 150 thés verts actuellement proposés en magasin, vous trouverez aux pages 20/21 un tableau présentant les plus courants d'entre eux.

Critères de qualité

Petit abécédaire du thé

La qualité d'un thé dépend surtout de son origine, de la façon dont il a été cueilli et de son mode de fabrication. Les nombreux termes techniques et abréviations généralement utilisés dans ce domaine ont souvent pour effet de créer la confusion dans l'esprit du néophyte. On distingue par exemple entre « first flush », première récolte, et « second flush », deuxième récolte, entre feuilles entières et « broken » (feuilles brisées) ou, selon les parties retenues lors de la cueillette, entre « Souchong » (S.), « Pekoe » (P.) « Orange Pekoe » (O.P.).

Mais ces dénominations n'ont pas tellement d'importance en ce qui concerne le thé vert, et l'amateur n'a pas à s'en soucier. Le mot « green tea » est compris dans le monde entier. Les principaux pays producteurs sont le Japon, qui ne fabrique que du thé vert, et la Chine, dont il constitue près de 80 % de la production. L'Inde propose également quelques thés verts intéressants. Aux personnes qui souhaitent s'initier, on recommande généralement le *Sencha*, thé japonais, le *Gunpowder* ou le thé au *Jasmin*, thés chinois, dont le second est semi-fermenté. Il arrive que certains thés verts ne soient pas totalement exempts de toxines. Des résidus de produits phytosanitaires sont en effet régulièrement détectés sur les échantillons analysés par les organismes de contrôle. Pour ne prendre aucun risque, choisissez des thés certifiés « bio » ou garantis sans résidus. Voici quelques-uns des principaux thés verts habituellement proposés dans les boutiques de thé.

Thés verts pour néophytes

Ce à quoi il faut être attentif lors de l'achat !

Thés semi-fermentés (Oolong)

Pour la fabrication des thés semi-fermentés – ou Oolong – les feuilles fraîchement cueillies subissent une brève fermentation avant d'être passées à la vapeur. Il ne s'agit donc pas à proprement parler de thés verts, mais ils s'en rapprochent beaucoup par leur digestibilité et leurs effets bénéfiques sur la santé.

- **Thé au jasmin :** produit souvent d'excellente qualité, dont la consommation en Chine était jadis exclusivement réservée à l'empereur et à sa cour. Les feuilles sont habituellement torréfiées et additionnées de fleurs de jasmin. Selon la provenance, l'infusion peut être vert très clair ou nettement plus foncée. Les bons thés au jasmin font partie des thés les plus chers et ne se trouvent que dans les boutiques de thé et certaines épiceries fines. Sous l'appellation de thé au jasmin, on trouve aussi parfois dans la grande distribution des thés noirs de médiocre qualité parfumés artificiellement.

Un classique parmi les thés parfumés

- **Formose Oolong :** ce thé originaire de Taiwan est très peu fermenté et possède un goût puissant, légèrement âpre. Selon la qualité, très variable, il peut coûter entre 3,50 euros et 35 euros. Bien qu'il ne s'agisse pas de thés verts au sens propre, les Oolongs de bonne qualité sont très digestes.

La qualité a un prix

Tableau synoptique des principaux thés verts

Appellation	Provenance	Goût/aspect	Caractéristiques	Prix (pour 100 g)
Assam (vert)	Inde du Nord	Désaltérant, légèrement épicé ; jaune doré	L'Assam vendu en grande surface est généralement du thé noir, mais il existe aussi une variante non fermentée que l'on peut se procurer dans les boutiques de thé ou certaines épiceries fines.	2,50-4,70 €
Bancha	Japon, Taiwan, Chine	Âpre, arrière-goût légèrement sucré	Teneur faible en théine ; bien toléré par les personnes âgées	2,20-5,00 €
Chun Mee	Taiwan, Chine	Léger et frais	Économique ; digeste	2,50-4,40 €
Darjeeling (vert)	Versants sud de l'Himalaya	Goût légèrement fleuri	Idéal pour s'initier au thé vert	2,50-4,40 €
Gun powder	Taiwan, Chine	Première infusion amère, deuxième et troisième plus légères	Thé très populaire en Chine. Après avoir été chauffées à la vapeur, les feuilles sont roulées en boules serrées et ne se déplient qu'à l'infusion. Souvent vendu en grandes surfaces	2,50-5,00 €
Gyokuro	Kyoto, Japon	Légèrement sucré ; jaune verdâtre	Le plant pousse en situation ombrée. Est considéré comme un thé précieux. Très stimulant ; teneur élevée en théine ; peu tannique	jusqu'à 55 €
Hojicha	Japon	Plus épicé que le Bancha	Bancha légèrement torréfié. Teneur faible en théine	jusqu'à 8,80 €
Kokeicha	Japon	Suave	Les feuilles sont réduites en poudre, additionnées d'amidon de riz et façonnées en forme d'aiguilles. Le temps d'infusion doit être très bref	4,70-9,50 €
Lu Shan Yun Wu	Chine méridionale	Moins amer que les autres thés verts ; désaltérant ; vert émeraude	Teneur très faible en théine ; bien toléré par les enfants et les personnes âgées. Peut se boire froid	6,30-12,60 €

Appellation	Provenance	Goût/aspect	Caractéristiques	Prix (pour 100 g)
Lung Ching	Chine méridionale	Arôme léger, fleuri et légèrement terreux; vert émeraude	Les feuilles sont longues et peuvent infuser assez longtemps sans que le thé devienne amer. Également très bon froid	5,00-10,70 €
Matcha	Japon	Âpre	Thé traditionnellement employé au Japon pour la cérémonie du thé. Réduit en poudre au moyen d'un moulin en pierre juste avant d'être consommé. La poudre est diluée dans de l'eau bouillante en tournant avec un fouet en bambou. Teneur assez élevée en théine	environ 15,50 €
Sencha	Japon, Taiwan, Chine	Arôme léger et fleuri; vert-jaunâtre	Très consommé au Japon, au point de pouvoir être considéré comme la boisson nationale. Différentes qualités disponibles. En principe, le Sencha est moins riche lorsqu'il est clair que lorsqu'il est foncé	2,50-11,30 €
Thé blanc	Chine méridionale, province du Fujian	À la fois épicé et doux; argenté	Excellent produit pouvant atteindre des prix exorbitants; ne se trouve que dans les boutiques de thé et certaines épiceries fines	4,40-12,60 €
Rose de thé (Ju Hua Cha)	Chine méridionale	Arôme très subtil; jaune clair	Très peu agressif pour l'estomac; très bien toléré par les personnes sensibles; façonné en forme de roses	environ 1,90 € la rose

Thés verts parfumés

Des arômes naturels pour un goût inédit

Les thés verts parfumés, que l'on trouve aujourd'hui dans le commerce à côté des thés verts «classiques», sont généralement considérés par les puristes comme une hérésie car, pour eux, tout le plaisir de la dégustation du thé vert réside dans les nuances subtiles par lesquelles un thé se distingue d'un autre ou du même thé préparé selon une méthode différente. Or les arômes ont un parfum tellement prononcé qu'ils dénaturent le thé, dont on ne perçoit souvent même plus le goût. Cela dit, tous les thés verts parfumés ne sont pas à dédaigner. Certains distributeurs proposent des thés verts de qualité supérieure uniquement parfumés avec du vrai zeste de fruit ou des herbes aromatiques séchées. On peut ainsi trouver d'excellents thés verts parfumés au pamplemousse, à la mandarine, au citron ou au lemon-grass. Ces thés conviennent particulièrement bien pour les enfants où les personnes âgées, qui souvent n'aiment pas le goût du thé vert. En règle générale, les principes actifs ne souffrent pas du mélange, pourvu que tous les ingrédients soient parfaitement naturels.

Le thé vert parfumé au moyen d'ingrédients naturels plaît aux enfants

Achat et entreposage

Boutiques de thé

Le commerce du thé vert est actuellement en plein essor. Aussi les boutiques de thé proposent-elles un choix de plus en plus vaste. Bien que certaines épiceries fines ou même certaines grandes surfaces fassent également des efforts en la matière, il est préférable, si vous n'êtes pas sûr de vous, de vous adresser à un magasin spécialisé, où vous pourrez être conseillé.
Pour l'achat ainsi que pour l'entreposage, certaines règles doivent être respectées :

Achat

▶ Évitez les thés trop bon marché, comme en proposent souvent les grandes surfaces. En dessous de 2,20 € les 100 g, il convient de se méfier.
▶ Le thé vert doit être présenté dans un paquet hermétiquement fermé. Stocké en vrac dans de grandes boîtes, il perd rapidement de son arôme et de son parfum.

C'est dans les boutiques de thé que l'on trouve le plus grand assortiment

▶ Évitez le thé en sachets. La qualité et la provenance des feuilles sont, dans ce cas, difficiles à contrôler. En outre, ce type de conditionnement entraîne une destruction partielle des vitamines.

Des petites quantités pour tester

▶ Bien que le thé vert puisse se conserver très longtemps lorsqu'il est bien entreposé, il est préférable de l'acheter en petites quantités. Ainsi, vous serez assuré de profiter de son arôme jusqu'à la dernière tasse et pourrez, si vous n'êtes pas encore bien fixé, essayer plusieurs thés sans vous ruiner.

Entreposage

▶ Le thé vert doit être conservé au sec, au frais et à l'abri de l'air. Protégez-le également de la lumière du soleil et ne plongez jamais de cuiller mouillée dans le paquet ou la boîte.

▶ C'est dans les boîtes en métal, en céramique ou en porcelaine spécialement conçues à cet effet que le thé se conserve le mieux. Le côté esthétique de la boîte contribue bien sûr aussi au plaisir sensuel que procure le fait de boire du thé.

▶ N'utilisez jamais vos boîtes à thé pour conserver d'autres denrées. L'idéal serait d'avoir une boîte pour chaque thé, par exemple une pour le *Sencha* et une pour le *Gunpowder*. Si cela n'est pas possible, rincez simplement la boîte à l'eau chaude, séchez-la et exposez-la quelque temps ouverte à l'air libre avant de la remplir avec un nouveau thé.

Il existe toutes sortes de boîtes à thé, dont certaines sont de véritables pièces de collection

Boisson d'agrément à vertus médicinales

Le thé vert est désintoxiquant

Le thé vert, découvert par les Chinois il y a de cela environ 5 000 ans, a longtemps été exclusivement considéré comme un remède. On lui attribuait le pouvoir de détoxifier l'organisme, de délasser les membres et d'éclaircir l'esprit. Ce n'est que bien plus tard qu'on commença à le boire pour le simple plaisir. Ces dernières décennies, de nombreuses études ont été réalisées sur l'action du thé vert et l'on s'est aperçu que celui-ci avait davantage d'effets bénéfiques sur la santé qu'on ne l'avait cru jusque-là. Il a notamment été prouvé qu'il agit sur le cœur, les vaisseaux sanguins, la digestion et le système immunitaire. Plusieurs études japonaises ont démontré qu'une consommation régulière avait un effet préventif sur les cancers et l'artériosclérose. Mais le plus intéressant au jour le jour reste peut-être son action à la fois équilibrante et stimulante.

Harmonisant et stimulant

Si l'on veut comprendre pourquoi le thé vert a tant d'effets sur le corps et le psychisme, il faut se poser la question de ses principaux constituants. On s'aperçoit alors qu'il contient non seulement de la théine, des vitamines et des minéraux, mais aussi une substance particulièrement intéressante, connue sous le nom abrégé d'EGCG.

Théine

Il s'agit d'une substance identique à la caféine, qui stimule la capacité de concentration et permet de rester éveillé. La théine présente dans le thé vert est beaucoup moins active que la caféine contenue dans le café ou que la théine contenue dans le thé noir. Les réactions caractéristiques déclenchées par ces deux boissons, telles qu'agitation ou palpitations, n'ont pas été observées avec le thé vert. À cela deux raisons. D'une part, le thé vert a une teneur en théine souvent nettement inférieure à la teneur en caféine du café et à la teneur en théine du thé noir. Il y a par exemple dans 15 cl de *Gunpowder* 56 mg de théine, et seulement 20 mg dans la même quantité de *Bancha*. À quantité égale, le thé noir (*Darjeeling*) en contient 68 mg, tandis qu'une tasse de café représente à elle seule 160 mg de caféine, et un simple expresso plus de 300 mg. D'autre part, et c'est là la principale raison, la différence entre le café/thé noir et le thé vert ne réside pas tant dans la teneur en théine ou en caféine que dans le fait que

Faible teneur en théine

la théine du thé vert est liée à des tanins. Son absorption par l'organisme est donc plus lente et son action moins violente. En revanche, l'effet stimulant est plus durable. Au demeurant, la caféine, quelle qu'en soit la forme, n'est pas aussi néfaste qu'on veut bien le croire. Les laboratoires pharmaceutiques élaborent depuis longtemps des préparations à base de caféine contre les maux de tête, les migraines et les rhumatismes. À doses raisonnables, cet alcaloïde stimule le cœur, le système nerveux central, l'irrigation de l'encéphale, la respiration et même la régénération cellulaire.

Action douce grâce aux tanins

Caféine contre les maux de tête

Vitamines

Le thé vert contient beaucoup de vitamines essentielles, dans des quantités variables selon la provenance et le mode de fabrication. La teneur en vitamine C et en provitamine A (bêta-carotène) est généralement élevée. La vitamine C garantit une peau ferme et lisse, des gencives saines et des nerfs solides. Elle renforce le système immunitaire, maintient le taux de cholestérol à un niveau bas et permet de lutter contre la dépression. Les personnes malades, les fumeurs et les femmes enceintes ont un besoin accru en vitamine C. La provitamine A protège quant à elle la peau et les muqueuses. Elle est recommandée en cas d'ongles et de cheveux cassants. Le rôle de la vitamine C et de la provitamine A dans la prévention des cancers est en cours d'étude.

Teneur élevée en vitamine C

Minéraux et oligo-éléments

La feuille de théier contient non seulement du manganèse et du fluor, mais aussi des traces de fer, de magnésium, de cuivre, de nickel, d'aluminium, de zinc, de phosphore et de quantité d'autres minéraux et oligo-éléments, dont la description dépasserait de loin le cadre de cet ouvrage. Nous nous limiterons donc au manganèse et au fluor, en raison de leur abondance dans le thé vert.

Teneur particulièrement élevée en manganèse et en fluor

Un litre de thé vert réparti sur la journée suffit à couvrir la moitié de nos besoins journaliers en manganèse. En permettant à l'organisme de métaboliser le calcium, cet oligo-élément contribue indirectement à prévenir l'ostéoporose, affection se caractérisant par une raréfaction du tissu osseux. Le manganèse participe en outre à la formation du tissu conjonctif et à la détoxification de l'organisme. Il stimule enfin les défenses immunitaires.

Le fluor assure, entre autres, la stabilité des os et des dents. Les carences en fluor favorisent la formation de caries, dont l'incidence est d'ailleurs remarquablement faible dans les pays où l'on boit beaucoup de thé vert.

Substances amères et tanins

Ce sont ces substances qui sont responsables du goût légèrement âpre du thé vert. Les substances amères stimulent la sécrétion salivaire et favorisent la digestion. On obtient donc le même effet qu'avec les liqueurs amères, recommandées en cas de troubles digestifs et gastriques. L'amertume est bien sûr beaucoup moins marquée avec le thé vert, mais son action apéritive et digestive n'en est pas moins importante. Les tanins ralentissent l'absorption de la théine, rendant

Le thé vert est apéritif et digestif

Ménage l'estomac et l'intestin

ainsi le thé vert nettement plus digeste que le thé noir. Ils calment en outre l'estomac, l'intestin et le foie, raison pour laquelle le thé vert convient particulièrement bien en cas de sensibilité gastrique ou intestinale. Les tanins jouent également un rôle important dans l'efficacité du thé vert en usage externe (par exemple les enveloppements) car ils activent la fonction cutanée tout en apaisant les irritations et les rougeurs.

EGCG

Depuis quelques décennies, le thé vert fait l'objet d'une attention toute particulière de la part des chercheurs. Des études menées dans le monde entier, et particulièrement au Japon dans les années 1970-1980 par les universités de Tokyo, Okyama, Kagoshima et Tohoku, ont confirmé les effets thérapeutiques du thé vert. Lors d'une étude à grande échelle, réalisée sous la direction du professeur Hirota Fujiki, directeur de l'Institut de recherche sur le cancer de Saitama, des chercheurs sont parvenus à isoler une substance végétale qu'ils ont baptisée gallate d'épigallocatéchine (EGCG). Combinée aux autres constituants du thé vert, cette substance semble avoir un potentiel d'action énorme. Grâce au soutien du ministère japonais de la Santé, l'équipe du professeur Fujiki est parvenue depuis le milieu des années 1980 à démontrer que l'EGCG peut :

Thé vert et recherche sur le cancer

- contrarier le développement des métastases pulmonaires et des tumeurs intestinales, et
- inhiber la multiplication des cellules cancéreuses dans l'estomac, le foie et la peau.

Inhibe la coagulation

De fait, certaines formes de cancer sont beaucoup moins fréquentes au Japon qu'elles ne le sont aux États-Unis ou en Europe. L'EGCG semble aussi avoir un effet anticoagulant. Donc outre le risque de cancer, la consommation quotidienne de thé vert, seul moyen actuellement de bénéficier d'un bon apport en EGCG, permettrait aussi de prévenir les accidents vasculaires cérébraux, les infarctus et autres maladies cardiovasculaires. Enfin, l'EGCG inhibe la multiplication de certains virus, notamment celui de la grippe.

Le bon dosage

Modérément mais régulièrement

Comme pour tout remède naturel, l'action du thé vert est fonction de son dosage. Pour un maximum d'efficacité, il faut le consommer régulièrement et avec modération : deux ou trois tasses par jour (20-30 cl) permettent de profiter pleinement de ses bienfaits sans courir aucun danger. Le professeur Fujiki va même jusqu'à recommander un litre par jour. Dans ce cas, il va de soi qu'il faut s'en tenir à des thés peu corsés, comme le *Bancha* ou le *Lu Shan Yun Wu*.

▶ Buvez votre thé de préférence dans le courant de la journée en commençant le matin. Pour éviter les difficultés d'endormissement, évitez de le prendre avant le coucher.

▶ Il est conseillé aux femmes enceintes de ne pas dépasser la dose de 3 tasses par jour (30 cl).

Convient également aux enfants

▶ Les thés verts peu corsés sont très bien supportés par les enfants en âge d'aller à l'école. L'administration d'une petite dose de thé vert avant les devoirs ou un contrôle peut produire des miracles. Le thé vert est néanmoins déconseillé en dessous de sept ans.

▶ Il est conseillé aux personnes nerveuses, surtout si elles n'ont pas l'habitude, de ne pas abuser du thé vert. Dans ce cas commencez par une ou deux tasses par jour et voyez comment vous réagissez.

Dosage recommandé : boire chaque jour deux ou trois tasses réparties sur la journée

Harmonie du corps et de l'esprit

La tradition du thé est étroitement liée à la culture et à la philosophie orientales. Préparé et dégusté dans les règles de l'art, le thé vert est néanmoins un excellent moyen, y compris pour les Occidentaux, de trouver la sérénité et de s'abstraire l'espace d'un instant de l'agitation du monde environnant. La cérémonie du thé japonaise est la forme la plus connue de pratique méditative. Sans aller jusque-là, il est tout à fait possible, par des moyens simples, de faire du thé un art de vivre.
Dans ce chapitre, vous découvrirez comment préparer votre thé vert pour en tirer le maximum de bénéfices en termes de plaisir, d'équilibre intérieur et de vivacité d'esprit.

Thé vert pour l'âme et l'esprit

Sérénité, équilibre et capacité de concentration

Certains des effets du thé vert sur l'âme et l'esprit ont déjà été évoqués dans le chapitre précédent. Nous allons voir maintenant comment cette boisson peut, si l'on veut bien prêter un peu attention à ce qu'on fait, conduire à davantage de sérénité, à plus d'équilibre et à une meilleure capacité de concentration. Les effets positifs du thé vert sur le psychisme ne sont pas simplement dus à ses propriétés stimulantes. Le soin apporté à sa préparation et à sa dégustation suffit en effet à lui seul à créer les conditions propices au détachement et au ressourcement.

Sagesse orientale

Pour pouvoir réduire le stress, défaire les tensions et augmenter la capacité d'attention et de concentration, le thé vert demande à être bu dans la disposition d'esprit qui convient. L'art du thé, indissociable de la philosophie orientale, correspond à une tradition qui remonte à plusieurs millénaires. Il est étroitement lié à la conception tout asiatique selon laquelle l'homme doit tendre dans chacune de ses actions au calme et à l'attention. Le maître du thé Nakaro Kazuma écrivait au XVIIIe siècle : « L'essence de la cérémonie du thé réside dans la purification des six sens de toute souillure. Une fois les sens nettoyés, l'esprit retrouve de lui-même sa clarté. La « voie du thé » est avant tout une ascèse spirituelle et je m'efforce par conséquent de ne jamais m'écarter de l'esprit de cet art, à aucun moment de la journée, aussi difficile cela puisse-t-il être ». Étant donné le degré de stress généré par le mode de vie moderne, cet enseignement paraît plus précieux que jamais. Comme on va le voir, l'art du thé s'acquiert facilement, pour peu qu'on accepte de se plier à quelques règles.

Calme et attentif dans chacune de ses actions

Lao-Tseu et Bodhidharma

Souplesse par rapport aux règles et aux prescriptions

Dans la Chine Ancienne, les premiers véritables amateurs de thé furent surtout des poètes et des sages taoïstes. Selon la légende, Lao-Tseu (VIe-Ve siècle av. J.-C.), considéré comme le fondateur du taoïsme, se serait vu offrir une tasse de thé vert par l'un de ses disciples au pied du col de Han, non loin de la ville de Chengdu. Il aurait trouvé la boisson désaltérante et tonifiante. Las du confucianisme, doctrine rigide encombrée de règles et de prescriptions, les taoïstes optèrent pour le calme serein et la non-résistance : décontraction, naturel, simplicité et sollicitude envers la nature, tels étaient leurs maîtres mots. Aussi, le thé resta-t-il longtemps une pratique sans règles bien arrêtées. À partir du VIe siècle de notre ère, le thé vert, apporté de Chine par des moines bouddhistes, commença à se propager au Japon. Il y fut d'abord employé dans les monastères comme stimulant contre l'endormissement pendant la méditation, puis, au fil des siècles, un véritable rituel se développa dans la culture zen autour de cette boisson désaltérante, qui devint dès lors un élément à part entière de la philosophie orientale.

Thé vert pour lutter contre l'endormissement durant les longues heures de méditation

La légende du théier

En l'an 519, un prince indien du nom de Bodhidharma arriva à Canton (anciennement Kuang-Tschou) pour y prêcher le bouddhisme, religion alors totalement inconnue en Chine. Durant ses longues pérégrinations, il dormait à la belle étoile et se nourrissait d'herbes et de feuilles. Jamais il ne s'accordait le moindre repos. Une nuit pourtant, terrassé par la fatigue, il s'endormit. À son réveil, pour ne plus jamais succomber à cette faiblesse, il s'arracha les paupières et les jeta rageusement au sol. Le lendemain, de chacune d'elle avait poussé un arbuste. Le saint homme mastiqua quelques feuilles de la plante miraculeuse et se sentit instantanément revigoré.

La cérémonie du thé japonaise

L'art du thé a atteint son summum avec la cérémonie du thé japonaise, appelée *chanoyu* (littéralement : thé et eau chaude). Ce rituel extrêmement codifié comprend des éléments philosophiques, religieux et esthétiques. Il fait aujourd'hui encore partie intégrante de la culture japonaise. Le *chanoyu* naquit au XIIe siècle dans les monastères zen. La règle voulait alors que le thé soit servi entre les séances de méditation par deux moines préposés à cette tâche, l'honneur devant toujours revenir au maître de méditation. Au XVe siècle, sous le règne du shogun Ashikaga Yoshimasa, le rituel monastique se répandit dans la société japonaise sous une forme simplifiée. Ashikaga fit aménager dans son palais de Kyoto une « chambre de thé » et fut en cela bientôt imité par les riches marchands de Sakai, qui s'adonnèrent dès lors aux premières cérémonies du thé, inspirées du zen. C'est au XVIe siècle, sous l'influence de Sen no Rikyu, que l'art du thé atteint son apogée. Le célèbre maître de thé, qui aimait la simplicité, remplaça les services richement ornementés par de la vaisselle sobre, réduisit la taille des pavillons et mit en avant

Rituel religieux

Le charme de la simplicité

Institution nationale

la dimension spirituelle et esthétique de la cérémonie. Au XVIIe siècle, le *chanoyu* devint une véritable institution nationale.

Le pavillon de thé

La cérémonie du thé se déroule aujourd'hui encore dans un pavillon (*chashitsu*) spécialement construit à cet effet et généralement sis dans un jardin savamment aménagé.
L'hôte conduit ses invités par un chemin sinueux à travers le jardin, devant lequel il convient de s'extasier. Avant de franchir le seuil de la porte, les invités puisent de l'eau de source reposant dans une pierre creusée pour se laver les mains et se rincer la bouche. Une fois dans la chambre de thé (*sukiya*), chaque invité s'agenouille brièvement, pour témoigner de son respect. Dans la pièce, dont les dimensions sont exactement fixées (environ 7,5 m²), se trouvent quatre tatamis et demi, le demi-tatami occupant le centre et comprenant un foyer simple aménagé à même le sol. Un tatami est réservé aux invités, un autre à l'hôte et au premier invité et un troisième aux ustensiles. Le quatrième, qui reste libre, s'étend devant une alcôve ornée d'un rouleau calligraphique suspendu, d'un arrangement floral ou d'un objet d'art.

Un espace où règne le silence

La cérémonie

Tandis que les invités s'assoient sur leur tatami, le premier invité prend place à côté de l'hôte. Le silence est total. L'hôte apporte ensuite la vaisselle, souvent précieuse, et les ustensiles : le fouet en bambou (*chasen*), la boîte contenant le thé (*natsume*), la cuiller servant à prendre le thé (*chashaku*), la bouilloire (*kama*) et la louche servant à puiser l'eau (*hischaku*). Il met l'eau à chauffer sur le foyer ou

Pavillon de thé japonais – encore très courant aujourd'hui

Lors de la cérémonie du thé, chaque geste correspond à un code précis

bien sur un réchaud à charbon. Une fois l'eau suffisamment chaude, l'hôte met une cuillerée de thé vert pulvérisé dans un bol (*chawan*), verse l'eau et bat le thé avec le fouet jusqu'à ce qu'il prenne une consistance mousseuse. Une fois l'opération terminée, par des gestes codifiés il tend le bol au premier invité qui le passe ensuite aux autres invités. Chacun porte le bol à ses lèvres et l'essuie avec du papier blanc avant de le tendre à l'invité suivant par des gestes également régis par un code.

Les invités se doivent d'admirer les objets exposés dans l'alcôve et de faire des commentaires à voix basse. Cette forme simple de cérémonie dure environ une heure et demie. Les cérémonies plus élaborées, qui s'accompagnent d'un repas léger (*kaiseki*), peuvent durer jusqu'à quatre heures. Lors des cérémonies courtes, l'hôte offre à ses invités un thé léger (*usacha*) – deux cuillers de thé par personne, tandis que les cérémonies complètes comprennent un thé épais (*koicha*) (quatre cuillers par personne) suivi d'un thé léger.

Petite ou grande cérémonie

L'art du thé

Stimulant doux

Alors qu'en Extrême-Orient le rituel du thé s'était mué en un véritable cérémonial, le thé vert allait être surtout apprécié en Europe pour ses effets bénéfiques sur la santé, comme solution de rechange au café, jugé trop agressif pour l'organisme des personnes fragiles, ou comme moyen simple et efficace de stimuler l'esprit, d'éveiller le sens et de découvrir le plaisir authentique de la dégustation.

Prendre le temps

Pour peu qu'on dispose d'un peu de temps, facteur déterminant, l'heure du thé peut en effet se transformer facilement en une véritable fête pour les sens. Contrairement à l'expresso qu'on avale rapidement au zinc d'un café, souvent sans même y penser, entre deux courses ou deux rendez-vous, le thé vert exige, pour le temps que dure sa préparation et sa dégustation, que l'on s'y consacre complètement. Les accessoires revêtent en outre ici une importance capitale.

Les accessoires

L'heure du thé est une fête pour les sens

La préparation et la dégustation du thé vert nécessitent au minimum une bouilloire, une théière et des tasses. Il est important que tous les ustensiles soient à votre goût. Sans forcément être chère, la vaisselle utilisée doit être agréable à regarder. Si vous possédez un magnifique service en porcelaine de Chine, c'est évidemment très bien, mais, combinée à un excellent thé et à un cadre harmonieux, la beauté discrète d'une théière et de

Porcelaine de Chine ou simple service en grès

tasses en argile ou en grès est également tout à fait propice à l'épanouissement des sens.

La bouilloire

Ne jamais verser d'eau en ébullition sur un thé vert

Le thé vert ne supporte pas l'eau bouillante. Cela n'empêche pas que l'eau utilisée doit avoir préalablement bouilli. Pour ce faire, plusieurs possibilités s'offrent à vous. Pour des raisons de santé, on déconseille généralement la bouilloire en aluminium, car des particules cancérigènes peuvent se détacher des parois et contaminer l'eau. Le mieux est de se servir d'une bouilloire toute simple en acier inoxydable. Vous pouvez bien sûr aussi utiliser la bouilloire en cuivre de grand-maman, à condition de bien la nettoyer à chaque nouvelle utilisation, ou une bouilloire électrique en plastique.

La théière

Il existe dans le commerce toutes sortes de théières. La céramique, la porcelaine et le verre conviennent très bien. Tout est affaire de goût. Il faut en revanche éviter la fonte, à moins que l'intérieur soit émaillé. Si vous êtes amateur de thé chinois et perfectionniste, il vous faudra un service en porcelaine de Chine. En revanche, pour le thé japonais, il est toujours préférable d'opter pour la sobriété.
En tout état de cause, veillez à ce que la théière de votre choix serve uniquement à la préparation du thé vert. Il ne faut jamais vous en servir pour le thé noir, et encore moins pour le café, car l'arôme en pâtirait énormément. Par ailleurs, n'utilisez jamais de liquide vaisselle pour la laver. Un rinçage à l'eau chaude suffit.

Une théière réservée au thé vert

La taille de la théière dépend de la quantité de thé que l'on souhaite servir. En Chine, les thés de qualité supérieure se boivent très forts et donc toujours en petite quantité. Dans ce cas, la théière ne doit pas contenir plus d'un demi-litre. Si toutefois votre foyer compte plusieurs amateurs de thé, il peut être judicieux de disposer d'une grande théière.

Les tasses

C'est dans les petites tasses que le thé vert développe le mieux son arôme, mais, comme pour la théière, le choix dépend surtout de votre goût. Les tasses asiatiques traditionnelles sont dépourvues d'anse et ressemblent à des petites coupelles. Plus la porcelaine ou le grès sont fins, mieux on perçoit l'arôme. Les tasses des services occidentaux peuvent contenir jusqu'à 20 cl, soit deux fois plus que les tasses chinoises ou japonaises. À moins que vous ne possédiez déjà un service que vous souhaitez utiliser, demandez-vous s'il ne serait pas bon d'investir dans une théière et des tasses spécialement destinées au thé vert. On trouve dans le commerce des petits services asiatiques à des prix très raisonnables.

Petite tasse, grand arôme

La qualité de l'eau

La réussite d'un thé vert dépend beaucoup de la qualité de l'eau. Il ne suffit donc pas d'acheter un bon thé, il faut aussi utiliser une bonne eau. Bien que les rivières et les nappes phréatiques soient de plus en plus polluées, l'eau du robinet reste dans beaucoup d'endroits de bonne qualité. En France, la réglementation stipule que l'eau du robinet, pour être considérée comme potable, doit être exempte de pathogènes, limpide, incolore, inodore et neutre au goût.

Un service à thé selon son goût

Se renseigner sur la composition de l'eau du robinet

Cependant, du fait de l'agriculture intensive, l'eau contient par endroits beaucoup de nitrates et de résidus de pesticides. La qualité de l'eau de ville pouvant donc être très variable d'une région à l'autre, il peut être bon de se renseigner sur sa composition, et notamment sa teneur en nitrate, auprès des services compétents à la mairie.

Douce et peu calcaire

Les amateurs de thé attachent beaucoup d'importance à ce que l'eau qu'ils utilisent soit douce et peu calcaire. Il est vrai que le thé vert doit être une boisson limpide, de couleur vert clair ou jaunâtre et non pas un brouet.

Dans les régions ou l'eau présente une dureté supérieure à 7, il est conseillé de la filtrer afin qu'elle soit moins calcaire et plus pure. Un thé préparé avec de l'eau filtrée n'est pas seulement meilleur au goût, il est aussi plus agréable à regarder. Mais les filtres à eau ont un inconvénient. On dit depuis quelques années qu'ils contiendraient certaines substances propices au développement de germes. Cependant, en changeant les cartouches régulièrement et en faisant bouillir l'eau, il n'y a quasiment aucun risque. Vous pouvez bien sûr aussi préparer votre thé avec de l'eau de source ou de l'eau minérale. Dans ce cas, il est intéressant d'en essayer plusieurs afin de déterminer laquelle donne selon vous le meilleur résultat.

Essayer différentes eaux

La préparation

La préparation est l'élément le plus important dans l'art du thé. Elle nécessite attention et concentration. Jeter sans y penser un sachet de thé dans une tasse, verser de l'eau bouillante par-dessus et ingurgiter à la hâte le breuvage ainsi obtenu est une façon de procéder qui, même pour les amateurs de thé noir, paraît être une hérésie. Avec le thé vert, cela est impossible, car sa préparation et sa dégustation exigent que l'on prenne son temps.

Jamais de sachets

Au début, il vous faudra probablement faire plusieurs essais afin de déterminer quel est le mode de préparation qui vous convient le mieux. Cela dépendra du temps dont vous disposez, de la quantité à servir et de l'effet recherché : stimulation ou détente.

Stimulant ou relaxant

La méthode traditionnelle

▶ Préchauffez-la théière en la remplissant d'eau bouillante.
▶ Portez de l'eau, de préférence peu calcaire, à ébullition.
▶ Laissez l'eau refroidir au moins cinq minutes dans la bouilloire. Il ne faut jamais verser d'eau en ébullition sur du thé vert. La température idéale est comprise, selon le type de thé, entre 60 °C et 80 °C. On considère en règle générale que plus le thé est cher (voir p. 20-21), plus l'eau doit avoir refroidi avant d'être versée.
▶ Le dosage diffère pour chaque thé. Si rien n'est indiqué à ce sujet sur le paquet, partez du principe que le thé vert doit toujours être beaucoup moins dosé que le thé noir. En cas de surdosage, il est non seulement très amer, mais contient aussi trop de théine. Une couleur vert clair à jaune doré est le signe d'un thé bien dosé. Il faut compter pour cela tout au plus une cuiller à café rase (environ 1 g) par tasse (10 cl) (2 g pour 20 cl). Pour une théière pleine, comptez une cuiller supplémentaire à partir de la 4e tasse.

Le thé vert peut se préparer de différentes façons

Préchauffez la théière

▶ Versez dans les tasses l'eau qui a servi à préchauffer la théière afin de les préchauffer également.

▶ Mettez les feuilles dans la théière préchauffée et versez l'eau bouillante par-dessus. Elles doivent pouvoir se déployer librement dans la théière. Une fois l'eau versée, le thé ne doit pas être touillé.

▶ Les thés de qualité supérieure ne doivent infuser que très brièvement (40 à 90 secondes tout au plus). Sauf mention contraire, la plupart des thés verts peuvent infuser entre 2 et 3 mn. Plus un thé infuse brièvement, plus il sera stimulant, car ce sont durant les premières minutes que la théine est libérée. Les tanins, exerçant l'action inverse, sont libérés après. On peut donc retenir la règle approximative suivante : un thé qui a infusé moins de deux ou trois minutes est stimulant, un thé qui infusé plus de cinq minutes est relaxant.

Effet en fonction du temps d'infusion

▶ Dès que le thé vous semble suffisamment infusé, versez-le dans les tasses. Si celles-ci sont dépourvues d'anses, évitez de les remplir à ras bord.

▶ Si vous avez plusieurs personnes à servir, commencez par ne remplir chaque tasse qu'à moitié, puis refaites une tournée en les remplissant complètement de manière à vider la théière.

▶ Il faut laisser les feuilles au fond de la théière car elles peuvent infuser plusieurs fois de suite (en moyenne 2 ou 3 fois).

Plusieurs réutilisations

La méthode des deux théières

La préparation du thé vert est plus simple lorsqu'on dispose de deux théières. Selon la méthode traditionnelle, le thé doit être versé immédiatement dans les tasses afin qu'il ne devienne pas trop amer. Mais lorsqu'on est seul et qu'on souhaite boire plusieurs tasses, il serait un peu ridicule d'avoir à se servir deux ou trois tasses simultanément et le thé refroidirait.

Servir fraîchement infusé

▶ Faites bouillir une quantité suffisante d'eau, puis laissez-la refroidir pendant cinq à dix minutes.

▶ Mettez dans la théière une cuiller rase de thé par tasse. Ajoutez une cuiller supplémentaire s'il y a plus de quatre tasses de prévues. Laissez le thé infuser pendant deux ou trois minutes.

▶ En vous servant d'un tamis fin, transvasez ensuite le thé dans une seconde théière, que vous aurez pris soin de préchauffer.

▶ Ne préparez jamais plus de thé que vous pouvez en boire en l'espace d'une heure. Une fois prêt, le thé vert ne doit pas être maintenu au chaud sur la gazinière ou une plaque électrique, car ses principes actifs seraient détruits. Le thé asiatique est toujours meilleur lorsqu'il est servi rapidement.

Deuxième et troisième infusions

Effet relaxant pour les deuxième et troisième infusions

Contrairement au thé noir, le thé vert déjà infusé peut être réutilisé, deux ou trois fois pour la plupart des thés et jusqu'à quatre pour certains. Les connaisseurs jettent d'ailleurs souvent la première eau. Si vous recherchez un effet relaxant, faites infuser vos feuilles pendant 30 à 60 secondes, jetez l'infusion et remettez les feuilles à infuser, cette fois pendant deux ou trois minutes. Cette façon de procéder permet d'éliminer une partie de la théine. Lorsqu'on emploie cette méthode, il est important de veiller à vider la théière de toute son eau après la première infusion afin que les feuilles ne continuent pas à infuser. Il est par ailleurs recommandé de ne pas laisser les feuilles stagner trop longtemps dans le fond de la théière après avoir jeté la première eau. Elles doivent rester chaudes. La durée de la deuxième et de la troisième infusion dépend du thé que l'on emploie. Pour les thés d'excellente qualité, devant infuser peu de temps, il faut compter une minute de plus pour la deuxième infusion par rapport à la première et deux minutes de plus pour la troisième. Pour les thés ordinaires, on conseille en

Bien choisir son thé

Rien ne remplace l'expérience

général au contraire de réduire le temps d'infusion de moitié, car les feuilles sont déjà gorgées d'eau.

Le temps d'infusion est souvent indiqué sur le paquet. Dans le cas contraire, il faut s'en remettre à l'expérience. Le but est que la deuxième et la troisième infusions soient aussi bonnes que la première. Après quelques essais, vous saurez quels sont le dosage et le temps d'infusion qui donnent le meilleur résultat en fonction de tel ou tel thé.

La préparation du *Matcha*

Contrairement à la plupart des thés verts, le *Matcha* se présente sous la forme de poudre. Il est d'excellente qualité et son prix est en conséquence. Pour sa fabrication, seules les pousses et feuilles les plus délicates de la première récolte sont utilisées. Une fois sèches, elles sont lentement broyées et moulues dans des moulins en pierre spéciaux. Le *Matcha* est utilisé depuis toujours au Japon pour la cérémonie du thé. Sa préparation obéit à des règles strictes. Rien n'est laissé au hasard : la tenue des participants, leurs mouvements, leur maintien, la vaisselle utilisée, les ustensiles et même la décoration intérieure, tout est codé. Il est possible, dans certains restaurants japonais, de demander à participer à une cérémonie du thé. Mais rien ne vous empêche, pour les grandes occa-

La préparation du Matcha est déjà une cérémonie

Thé pour les grandes occasions

sions, de préparer vous-même le *Matcha*. Pour cela, il n'est pas indispensable de se conformer à toutes les règles traditionnelles. Seules quelques-unes doivent impérativement être respectées :

▶ Le *Matcha* ne se prépare pas dans une théière et se sert traditionnellement dans des bols spéciaux, qui peuvent être remplacés par n'importe quel bol en porcelaine, en argile ou en gré suffisamment grand. Il est en revanche important que les bols soient préchauffés avec de l'eau bouillante.

▶ Quand l'eau arrive à ébullition, retirez-la du feu et laissez-la refroidir pendant une dizaine de minutes de manière à ce qu'elle redescende à environ 60 °C.

▶ Mettez le thé en poudre dans le bol (une cuiller rase pour 10 cl d'eau).

▶ Versez lentement l'eau chaude par-dessus la poudre et battez-la immédiatement au moyen du *chasen* (fouet en bambou, en vente dans les boutiques de thé). Il faut que la poudre se dissolve le plus vite possible. Pour cela, le mouvement de la main doit être rapide. Le thé est prêt dès qu'une mousse fine se forme à sa surface.

Le *Matcha* est également utilisé au Japon comme épice pour les nouilles et certains desserts raffinés. Du fait de sa teneur élevée en théine, il produit un effet particulièrement stimulant. Aussi faut-il éviter d'en boire avant de se coucher. Pour les personnes sensibles, mieux vaut choisir un autre thé.

Déconseillé aux personnes sensibles

Additifs – oui ou non ?

Si vous êtes buveur de café ou de thé noir, peut-être avez-vous pris l'habitude de sucrer vos boissons chaudes, d'y mettre du lait ou d'y ajouter un zeste de citron. En ce qui concerne le thé vert, la tradition veut qu'il se boive sans adjonction d'aucune sorte, de manière à ce que toutes les nuances puissent être perçues. Les goûts des Européens ne sont bien sûr pas les mêmes que ceux des Asiatiques. Aussi, dans certains cas, peut-il être intéressant de modifier la saveur un peu particulière du thé vert, en y ajoutant quelque chose. Trois cas de figure se présentent :

De préférence sans additifs

• Certaines personnes consomment du thé vert uniquement pour des raisons médicales, afin de prévenir certaines maladies. Si vous souhaitez vous servir du thé vert comme d'un remède, mais que son goût ne vous plaît pas, rien ne vous empêche de l'adoucir avec un peu de miel ou d'en augmenter les effets thérapeutiques par l'ajout d'une cuiller à café de jus de citron.

Du miel pour les enfants

• Les enfants ne raffolent pas toujours du thé vert. Pourtant, il peut être bon de leur en donner de temps en temps en petite quantité, par exemple pour augmenter leur capacité de concentration lorsqu'ils ont des devoirs à faire. Pour qu'il le prenne sans broncher, sucrez-le un peu, de préférence avec du miel.

• Si vous êtes curieux de nature, vous pouvez aussi très bien essayer le thé vert en association avec d'autres boissons, ingrédients ou épices. Il existe quantité de recettes, dont vous trouverez quelques exemples à la fin de ce chapitre.
Une seule chose : évitez le lait et le sucre.

Miel et citron

Le miel est connu depuis l'Antiquité comme aliment et comme remède. On y trouve tous les constituants bénéfiques du nectar de fleur ainsi que de nombreux minéraux essentiels (notamment du potassium) et des vitamines (vitamine C et vitamines du groupe B). Il a en outre un effet antibactérien et anti-inflammatoire. Pour édulcorer le thé vert, il est toutefois important de choisir un miel de très bonne qualité, extrait à froid.
Le citron contient beaucoup de vitamine C. Il renforce donc le système immunitaire. Le thé vert additionné de jus de citron pressé est particulièrement recommandé en cas de grippe ou de refroidissement. Si c'est uniquement pour le goût, il suffit de deux ou deux gouttes par tasse. Le résultat est intéressant et se rapproche du goût de certains thés verts naturellement parfumés.

Oublier l'agitation du monde

Nous vivons à une époque de « surstimulation ». L'impact des médias et le rythme effréné de la vie dans les grandes villes ne laisse personne indemne. De plus en plus d'individus souffrent d'être continuellement soumis au stress, au besoin d'aller vite et au diktat de la rentabilité. Cela se traduit par des symptômes tels qu'agitation, difficultés de concentration, dépression ou troubles psychosomatiques. Beaucoup pensent trouver la solution en recourant aux tranquillisants, antidépresseurs, somnifères et autres psychotropes. Mais on sait que ces produits créent une dépendance et ont de nombreux effets secondaires indésirables.

Calme et sérénité – objectif sain

Le désir de mener une vie plus calme et plus sereine est quelque chose de tout à fait compréhensible, d'autant que cela est indispensable pour rester en bonne santé. Mais comment se soustraire à l'influence du monde dans lequel on vit, de l'actualité dramatique, de la publicité omniprésente et de l'agitation permanente ? Comment parvenir à oublier la turbulence du monde ?

Pour cela, il existe plusieurs méthodes. À chacun de trouver la sienne. Procéder régulièrement à une petite cérémonie du thé peut être une façon d'y parvenir. Cette action un peu solennelle, permet, par son caractère rituel, de s'isoler momentanément et, ainsi, de se ressourcer. Le mot cérémonie évoque facilement certaines célébrations religieuses, comme le

Dans le bouddhisme, la méditation est considérée comme une étape vers l'illumination et la délivrance

La décoration extrême-orientale offre un cadre idéal pour la cérémonie du thé

baptême, la première communion ou le mariage. Mais pour beaucoup de gens prendre son petit-déjeuner au lit tous les dimanches, aller régulièrement au hammam ou faire une promenade en forêt après le travail procède consciemment ou inconsciemment de la cérémonie. La dégustation du thé s'y prête également très bien. Pour preuve, le « Five o'clock tea » des Anglais ou l'habitude qu'ont les Russes de se réunir régulièrement autour du samovar. Ainsi, dans de nombreux pays non asiatiques, tout un art de vivre s'est-il développé autour du thé.

Agrémenter le quotidien de petits moments privilégiés

À chacun sa cérémonie

Vous avez toute latitude de créer une cérémonie à votre propre convenance. La mentalité occidentale fait que chez nous très peu de gens sont vraiment disposés à pratiquer la vraie cérémonie du thé japonaise, ritualisée à l'extrême, et donc extrêmement contraignante. Aussi est-il préférable à tout point de vue de s'en tenir aux principes taoïstes de calme, souplesse, simplicité et concentration décontractée. Par ses constituants, notamment la théine, les tanins et les

Détendu et concentré à la fois

vitamines, le thé vert augmente la vigilance et la vivacité d'esprit tout en relaxant et en harmonisant. Ainsi se retrouve-t-on dans un état hautement enviable d'éveil sans excitation et de calme sans assoupissement. Outre le plaisir qu'on en retire sur le moment, cet état psychique harmonieux résultant de la « pratique consciente » du thé vert, favorise également la capacité à résoudre les problèmes du quotidien, aussi bien au travail que dans la vie privée.

Créer une atmosphère paisible

L'atmosphère doit être agréable. C'est là l'une des principales conditions à la réussite d'une cérémonie qui a pour but d'harmoniser le psychisme. Afin que l'heure du thé devienne une véritable fête pour les sens, il faut pouvoir disposer d'un bel endroit. Nul besoin bien entendu de réserver une pièce de votre appartement à ce seul usage. Un petit coin calme aménagé avec goût dans le séjour suffit amplement.

Créer un îlot de quiétude

Ce à quoi il faut veiller :

▶ Choisissez un siège confortable, par exemple un canapé ou un fauteuil dans lequel vous vous sentez particulièrement à l'aise. Si cela vous convient mieux, rien ne vous empêche de vous asseoir sur un coussin à même le sol.

▶ Débarrassez la table des journaux, papiers et autres objets qui l'encombrent et pourraient détourner votre attention.

▶ Décorez le lieu de la cérémonie à votre goût. Une belle nappe, une bougie et des fleurs peuvent vous aider à vous sentir parfaitement bien dans votre petit « coin thé ».

Éviter tout dérangement

▶ Faites en sorte de ne pas être dérangé. Pour cela coupez le téléphone avant le début de la cérémonie et demandez à votre entourage de vous laisser tranquille pendant au moins une demi-heure

▶ Veillez à ce que la pièce soit bien aérée, mais ne la laissez pas se refroidir. En hiver, placez une couverture en laine à côté de vous pour le cas où vous auriez un peu froid.

▶ Veillez à porter des vêtements confortables.

Se sentir bien dans son «coin thé»

Dimension spirituelle

Pratiquer la cérémonie du thé procède de la démarche contemplative. Aussi importe-t-il non seulement de créer un espace extérieur adapté à la circonstance, mais aussi de se mettre en condition mentalement. Cela est plus simple qu'on l'imagine, car le fait même de se concentrer sur l'acte de boire du thé induit une attitude méditative.

Ce à quoi il faut être attentif:

Mettre les problèmes du quotidien entre parenthèses

► Mettez les problèmes du quotidien entre parenthèses avant même de commencer à préparer votre thé. Si vous rentrez juste du travail, attendez quelques minutes, histoire de décompresser. Étirez-vous de tout votre long, faites quelques exercices de stretching et respirez plusieurs fois profondément en inspirant et expirant par le nez.

► Prenez la décision de laisser délibérément la quiétude s'emparer de votre esprit pour la demiheure qui vient.

Laisser les idées aller et venir

► Le fait de cogiter amène à remuer continuellement. Aussi, commencez par chasser vos pensées du moment en vous remémorant par exemple des faits lointains ou à venir et en les examinant avec neutralité. L'expérience montre que l'esprit a tendance à se calmer de lui-même lorsqu'on boit du thé.

► Acceptez les pensées telles qu'elles viennent, mais évitez de vous abandonner à elles et de ressasser.

Droit et détendu

Savourer consciemment

► Lorsqu'on prend son thé, il importe de ne pas s'avachir. Vous vous rendrez compte qu'il est beaucoup plus facile de se détendre tout en restant éveillé lorsqu'on a le dos droit et qu'on respire profondément.

Ouvrir ses sens

L'homme est un être sensuel. Il voit, entend, touche, sent et goûte le monde qui l'entoure. L'art du thé est aussi l'art de réveiller ses propres sens, qui menacent de s'émousser de plus en plus du fait de la « surstimulation » visuelle et acoustique à laquelle nous sommes exposés. Dans la société de consommation, tout est éphémère et passager. À l'inverse, le plaisir véritable exige que l'on prenne son temps. Regarder, goûter et sentir intensément ne peut pas se faire « à la va-vite ». Boire son thé tranquillement offre la possibilité de se réapproprier le temps et de se recentrer. En faisant délibérément participer tous vos sens, vous atteindrez rapidement l'état recherché. Vous vous sentirez très bien tout en ayant les idées parfaitement claires. Vous sentirez les problèmes du quotidien perdre progressivement de leur importance.

Ce à quoi il faut veiller :

▶ Prévoyez toujours suffisamment de temps – au moins une demi-heure.

▶ Humez l'arôme épicé du thé vert avant de le porter à vos lèvres. Observez les sentiments que le parfum suscite en vous. Gardez chaque gorgée quelques instants en bouche et essayez de percevoir toutes les nuances, même les plus subtiles.

Prêter attention aux nuances gustatives les plus subtiles

▶ Concentrez-vous sur votre corps. Est-il relaxé ? Pouvez-vous vous laisser porter par le calme intérieur et relâcher toutes les contractions musculaires ?

▶ Essayez d'élargir votre champ de perception à votre environnement immédiat. Peut-être jouissez-vous d'une belle vue ou pouvez-vous observer le jeu des nuages dans le ciel ? Ou alors laissez simplement l'atmosphère paisible de la pièce agir sur vous.

▶ Rien ne vous empêche de mettre de la musique relaxante. Il existe aujourd'hui chez les disquaires et dans les magasins d'ésotérisme un large choix de musique spécialement conçue comme support à la méditation.

S'affranchir pour un moment des contraintes du temps

▶ Laissez libre cours à votre imagination et concoctez votre cérémonie selon votre humeur du moment. Peut-être avez-vous envie aujourd'hui d'un morceau de musique, qui demain vous gênera plutôt qu'autre chose.

Des gestes calmes

Pour atteindre le calme intérieur, il est indispensable que vous puissiez maîtriser vos gestes.

▶ Entre le moment où vous mettez l'eau à bouillir et le moment ou vous faites votre petite vaisselle, vous devez vous efforcer de rester calme et détendu.

▶ Évitez toute hâte lors de la préparation et de la dégustation de votre thé.

▶ Si vous êtes pris par le temps, mieux vaut renoncer pour cette fois à la cérémonie. Si vous tenez quand même à vous accorder ce moment privilégié, adoptez une attitude de concentration décontractée.

Seulement si l'on dispose de suffisamment de temps

▶ Concentrez-vous sur chacun de vos gestes, mais efforcez-vous de rester naturel. Avec l'habitude, vous gagnerez en aisance. Au début, il est normal que l'on soit un peu gêné dans ses mouvements par le souci de bien faire.

Élixir de vie pour différentes occasions

Tonique et détendu

Le thé vert agit de deux façons contraires sur le psychisme : il stimule et détend. En aidant l'esprit à se libérer des pensées « parasites », il éclaircit les idées et rassérène. De nombreux adeptes du thé vert observent que leurs pensées et sentiments sont plus « légers ». D'autres disent avoir l'impression que la consommation régulière de cette boisson aiguise leur imagination et leur créativité. La « communauté des amateurs de thé vert » compte d'ailleurs beaucoup d'artistes et de personnes dont le travail comporte une part importante de créativité. Dans le monde professionnel, se réunir autour d'une tasse de thé vert peut en outre aider à trouver un terrain d'entente en cas de divergences de point de vue et à résoudre ensemble certains problèmes.

Stimule la créativité

Mais vous pouvez aussi tout simplement savourer votre thé vert en compagnie de votre partenaire ou de bons amis, car le thé est une boisson pour presque toutes les occasions. Pratiqué seul ou avec des intimes, avant une épreuve importante ou sous forme de « tea-party » — l'art du thé enrichit forcément le quotidien et permet, au milieu de toutes les tâches urgentes dont celui-ci se compose, de faire régulièrement une pause salutaire.

En toute saison

Toutes les occasions sont bonnes

Certains moments sont bien sûr particulièrement indiqués pour procéder à la cérémonie du thé. Dans ses notes (en 780 de notre ère), le poète chinois Lu-Yu donne son avis sur la question. Il recommande de boire le thé vert « par nuit de pleine lune, le soir au printemps, lorsqu'il tombe une pluie fine ou en compagnie de bons amis et de femmes ». Dans ces conditions, on peut s'estimer heureux si l'on arrive à boire tranquillement sa tasse de thé vert une fois par an.

Pour toutes les occasions

Peu importe la saison

Vous pouvez bien sûr vous concocter votre propre cérémonie comme décrit précédemment sans vous préoccuper du temps qu'il fait ni du jour de l'année. Rien ne vous oblige d'ailleurs à limiter votre consommation aux cérémonies proprement dites, auxquelles vous ne pourrez peut-être vous adonner qu'une fois par semaine.
Hsu Jan-Ming, auteur d'un traité sur le thé paru du temps de la dynastie Ming, dresse lui aussi une liste d'occasions pour la dégustation du thé vert :
« Durant les moments d'oisiveté »
« Lorsque les pensées sont confuses »
« Lorsque les chants retentissent »
« Durant les conversations nocturnes »
« Pour recevoir des érudits ou des femmes élégantes »
« Lorsque le soleil brille »
« Par temps couvert »
« Lorsque les invités pris d'ébriété s'en sont allés »
« Lorsqu'on s'entretient avec des amis »
On voit qu'au fil du temps les occasions de boire du thé se sont multipliées et qu'au bout du compte quasiment tous les prétextes sont bons pour se faire du bien. Aujourd'hui, le thé vert peut se savourer à tout moment et dans presque toutes les circonstances, qu'il fasse beau ou mauvais, que ce soit l'été ou l'hiver, le matin ou l'après-midi. On le recommande aux sportifs et aux artistes, aux personnes âgées et aux enfants.

Se faire du bien

Pour toutes les classes d'âge

Seul ou en société ?

Si vous vous demandez s'il est mieux de célébrer la cérémonie du thé seul ou entre amis, faites plutôt comme le moine et poète Lu-Tung, qui écrivait, il y a plus de mille ans : « Pour lui [le thé] faire honneur, je ferme toutes les portes de ma maison de manière à ne pas être importuné par le tout-venant. Pour le servir, je sors ma plus belle vaisselle et je le déguste en silence ».
Il est évidemment plus facile de trouver le calme lorsqu'on est seul que lorsqu'on est en société. Surtout quand on débute, il est bien de pouvoir procéder tranquillement à ses propres expériences. Il serait dommage de convier spécialement un ami pour le thé et de se retrouver, du fait d'une erreur dans le dosage ou le temps d'infusion, à boire un brouet amer.

D'abord se faire la main

Avec des amis

Dans le bouddhisme zen, la dégustation collective du thé est depuis toujours un élément important de la vie dans les monastères. Pour nous aussi, prendre une tasse de

Savourer entre amis

thé vert avec des amis peut être l'occasion de décompresser et de partager un bon moment. Avant d'inviter quelqu'un à venir prendre le thé chez vous, il est préférable, comme on l'a déjà dit, de vous entraîner quelque temps à sa préparation (voir p. 41). Une fois que vous vous sentez prêt, n'oubliez pas que le thé vert est chez nous encore quelque chose qui sort un peu de l'ordinaire. Un palais habitué au café ne sera peut-être pas d'emblée en mesure d'apprécier son goût. Aussi est-il préférable, en cas de doute, de servir plutôt un thé doux, comme le *Sencha japonais* ou le *Chun Mee* chinois et, au besoin, de jeter la première eau (voir p. 43).

Choisir un thé doux

Bien que la cérémonie du thé puisse se célébrer à plusieurs, il vaut mieux qu'il n'y ait pas trop de monde autour de la table. Au-delà de quatre personnes, l'agitation est trop grande. Même en société, il faut que la cérémonie conserve son caractère de moment privilégié. Il n'est pas nécessaire d'imposer le silence aux participants. Il faut en revanche se mettre d'accord avec eux avant de commencer pour ne pas aborder de sujets délicats, tels que questions politiques ou problèmes de société. Faites en sorte que la cérémonie soit un

Un petit nombre de participants

Converser calmement

moment de calme et de détente pour tout le monde.

Recentrage et relaxation

Si c'est un peu la pagaille chez vous ou que vous avez eu une journée harassante au travail, il faut absolument vous ménager une «petite demi-heure de thé» rien que pour vous, afin que vous puissiez retrouver vos marques et récupérer.

Quelques mouvements de gymnastique pour décompresser

Mettez des vêtements confortables et respirez profondément pendant quelques instants avant même de mettre l'eau à bouillir. Si vous avez passé la journée assis et que vous vous sentez tendu, faites quelques mouvements de gymnastique devant une fenêtre grande ouverte. Une fois vos muscles suffisamment relaxés et l'esprit déjà moins agité, vous pouvez commencer tranquillement votre petite cérémonie.

Thé vert contre le stress

Lors de la préparation d'un «thé antistress», il convient de procéder de la manière suivante :

Évitez tout dérangement

- ▶ Avant tout, prévoyez suffisamment de temps et faites en sorte de ne pas être dérangé.
- ▶ Choisissez un thé à teneur faible en théine, comme par exemple le *Bancha* ou le *Lu Shan Yun Wu*.
- ▶ Laissez l'eau refroidir environ 10 mn avant de la verser dans la théière, dans laquelle vous aurez mis une cuiller rase par tasse.
- ▶ Laissez infuser pendant seulement une minute et jetez la première eau.

Jeter la première eau

- ▶ Remettez de l'eau à bouillir et recommencez l'opération, mais en laissant infuser cette fois deux ou trois minutes.
- ▶ Buvez votre thé sans attendre.

La forme au quotidien

L'effet recherché lorsqu'on boit du thé vert n'est pas forcément la relaxation. Nous sommes en effet souvent confrontés au quotidien à des situations qui requièrent de nous beaucoup de force et d'énergie. Que vous soyez obligé de faire des heures supplémentaires et de travailler éventuellement jusque tard dans la nuit en vue d'une réunion délicate ou bien que vous ayez à préparer un examen difficile, le thé vert vous aidera à rester éveillé, augmentera votre capacité de concentration et stimulera votre créativité.

Maintient éveillé et stimule la créativité

Si c'est là l'usage que vous voulez en faire, voici comment il faut procéder :

▶ Choisissez un thé connu pour son action stimulante. Le mieux pour cela est le thé japonais *Gyokuro*, mais vous pouvez aussi recourir au *Matcha*, dont la préparation est toutefois très différente de celle des autres thés (voir p. 44).

Matcha ou Gyokuro

▶ Dosez un peu plus fortement qu'à l'accoutumée (une bonne cuiller par tasse au lieu d'une cuiller rase).

▶ Mettez les feuilles dans la théière préchauffée et versez par-dessus l'eau bouillante, que vous aurez préalablement pris soin de laisser refroidir pendant quatre à six minutes. Laissez infuser tout au plus une minute et buvez la première eau.

Le plein de vitalité pour les sportifs

Que vous pratiquiez le sport en dilettante ou pour la compétition, le thé vert constitue une formidable source naturelle de vitalité. Surtout en été, les sportifs ont besoin de beaucoup s'hydrater et de se ressourcer continuellement

Tonifie et améliore les performances

en minéraux. Les problèmes circulatoires, les crampes musculaires et les baisses de performance ont souvent pour origine une carence en certaines substances vitales que l'on trouve justement dans le thé vert, et cela dans des proportions idéales.

Combinaison idéale de substances vitales

Dans les sports d'endurance, comme le jogging, le cyclisme ou le ski de fond, il est bien connu qu'il ne faut pas attendre d'avoir soif pour boire. La soif ne commence en effet à se manifester qu'une fois entamé le processus de déshydratation dû à la transpiration. Aussi est-il vivement conseillé aux sportifs de bien s'hydrater avant même le début de l'entraînement. Pour cela, ce n'est pas tant la quantité qui compte que la qualité de la boisson. Or le thé vert offre non seulement l'avantage de compenser les pertes en minéraux, mais il augmente en outre la capacité de concentration, ce qui, lors d'une compétition, peut constituer un atout appréciable.

Compense les pertes en minéraux

Boisson énergisante

La boisson à base de thé vert dont nous vous proposons ici la recette vous permettra de combler agréablement les déficits en minéraux et en sels dus à la transpiration. Pour un bon litre, il vous faudra :

4 cuillers à café de thé vert (*Lung Ching*)
30 cl d'eau
1/2 pamplemousse
1 pincée de sel de mer

► Mettez les feuilles de thé dans une théière que vous aurez préalablement préchauffée. Versez par-dessus 1/2 l d'eau bouillante (que vous aurez pris soin de laisser refroidir pendant cinq minutes). Laissez infuser pendant deux ou trois minutes, filtrez, laissez refroidir l'infusion et mettez-la au réfrigérateur. Une fois le thé bien froid, ajoutez l'eau minérale, le jus du pamplemousse et la pincée de sel. Pensez à bien mélanger tous les ingrédients avant de consommer.

Thé vert et grossesse

Ce qui importe le plus durant la grossesse, c'est d'avoir une bonne hygiène de vie et de bien s'alimenter. Entre autres mesures, on conseille aux femmes enceintes de remplacer le café et le thé noir par du thé vert, cela non seulement parce que celui-ci est beaucoup moins irritant, mais aussi parce qu'il contient de nombreuses vitamines et minéraux. Ainsi le thé vert peut-il aider à prévenir les

Passer au thé vert

Prévient les phénomènes de carence

phénomènes de carences propres à la grossesse. Pour être pleinement efficace, il faut bien sûr que le thé soit correctement préparé, mais il importe aussi qu'il soit savouré dans une atmosphère calme et paisible car il est prouvé que la sérénité de la mère influe positivement sur le développement du fœtus.

▶ Privilégiez le *Bancha*, pauvre en théine.

▶ Pour que le thé soit plus léger, jetez la première eau.

▶ Versez l'eau bouillante sur les feuilles (une cuiller rase par tasse), laissez infuser pendant une minute, puis filtrez.

▶ Jetez la première eau et remettez de l'eau à bouillir. Laissez infuser cette fois trois minutes, puis buvez.

Préférez le Bancha

Thé vert et vieillesse

Ralentit le processus de vieillissement

Comme l'a montré une étude réalisée par le professeur Takuo Okada, de l'université d'Okayama, les tanins contenus dans le thé vert ont un effet retardateur sur le processus de vieillissement. En boire régulièrement permettrait donc de conserver jusqu'à un âge avancé des cellules capables de se régénérer normalement et de fonctionner de manière optimale. L'effet protecteur du thé vert sur les cellules est principalement dû à son action antioxydante, qui neutralise les radicaux libres, substances notamment responsables du vieillissement de la peau. Il fortifie en outre le cœur, exerce une action préventive à la fois contre l'artériosclérose et la «calcification» du cerveau (voir à ce sujet p. 68).

Protège les cellules

Stimule l'appétit

Enfin, le thé vert stimule l'appétit, ce qui peut s'avérer très utile pour les personnes âgées, qui ont souvent tendance à ne pas suffisamment s'alimenter. À tout cela s'ajoutent bien sûr les effets sur le psychisme. Par ses propriétés stimulantes, il augmente la capacité de concentration et favorise la mémoire.

Infusion pour enfants

Pour une petite tasse, vous aurez besoins de :
1 cuiller à café rase de *Bancha*
1 cuiller à café de miel
Un doigt de nectar de banane ou de pêche

▶ Mettez les feuilles de thé dans une tasse et versez l'eau bouillante par-dessus (que vous aurez préalablement pris soin de laisser refroidir pendant trois minutes). Laissez infuser quatre minutes, puis filtrez. Faites fondre le miel dans l'infusion encore bien chaude et ajoutez un doigt de nectar de banane ou de pêche.

Le thé vert stimule la mémoire

▶ Choisissez de préférence un thé à teneur faible en théine (par exemple *Bancha* ou *Lu Shan Yun Wu*).

▶ Jetez la première eau (voir p. 43).

Le thé vert et les enfants

Comme le thé vert contient de la théine, même si c'est sous une forme peu active, il est préférable de ne pas habituer les enfants à en boire tous les jours – surtout en ce qui concerne les plus petits. Pour les enfants en âge scolaire et les adolescents, prendre une tasse occasionnellement peut toutefois s'avérer très utile dans les périodes chargées car cela augmente la capacité de concentration, de compréhension et d'apprentissage. Le problème est que la plupart des enfants n'apprécient pas du tout le thé vert, habitués qu'ils sont aux sodas, jus de fruits, chocolat instantané et autres boissons sucrées. Mais, en sachant s'y prendre, on parvient généralement à les faire changer d'avis.

Augmente la capacité de concentration et d'apprentissage

Thé en petite quantité pour les enfants

▶ Par principe, ne demandez pas à vos enfants de boire plus de deux tasses (de 10 cl) par jour.

▶ Choisissez un thé à faible teneur en théine, par exemple du *Bancha* ou du *Lu Shan Yun Wu*.

▶ C'est surtout le matin avant d'aller à l'école et à quatre heures, avant de faire les devoirs, que le thé est indiqué pour les enfants. Par contre, il ne faut surtout pas leur en donner le soir avant le coucher.

Boisson d'été

Sencha, Lung Ching ou Lu Shan Yun Wu

Bien que le thé vert soit normalement une boisson chaude, certains thés, comme le *Sencha* japonais ou les thés chinois *Lung Ching* et *Lu Shan Yun Wu*, peuvent se boire froids et même glacés.

▶ Préparez votre thé selon la méthode japonaise (voir p. 41) en le laissant infuser environ trois minutes. Après l'avoir filtré, laissez-le refroidir et servez-le avec des glaçons.

Thé glacé parfumé

Thé glacé avec petit je-ne-sais-quoi

Si vous souhaitez servir un thé glacé un peu plus raffiné, essayez la recette suivante :
Pour une grande théière, vous aurez besoins de :
8 cuillers à café de thé vert
1 petit bâton de cannelle
3 cuillers à café de miel
1 citron

▶ Portez 1 l d'eau à ébullition, puis laissez-la refroidir pendant cinq minutes. Mettez les feuilles de thé et le bâton de cannelle dans une théière, versez l'eau bouillante par-dessus et laissez infuser deux minutes. Filtrez l'infusion, ajoutez tout de suite le miel et le jus du citron, laissez refroidir, puis mettez au réfrigérateur. Une fois le thé bien froid, servez-le avec des glaçons.

Sweet Angel

Voici une recette également très indiquée pour les chaudes journées d'été. Pour quatre grands verres, vous aurez besoin de :
5 boules de glace à la vanille
50 cl de thé vert
50 cl de jus d'orange fraîchement pressé
1 cuiller à soupe de sirop d'érable

Cocktail d'été

▶ Portez l'eau à ébullition et laissez-la refroidir quatre à six minutes. Versez-la ensuite sur les feuilles de thé (4 cuillers à café), puis laissez infuser trois ou quatre minutes. Laissez l'infusion refroidir et mettez-la au réfrigérateur. Pressez quelques oranges. Passez pour finir le thé froid, le jus d'orange, le sirop d'érable et la glace au mixer. Servez immédiatement dans de beaux verres à cocktail.

Boisson d'hiver

Le thé vert est bien entendu aussi très indiqué en hiver. Servi fraîchement infusé, il n'y a rien de tel pour se réchauffer après une grande ballade en forêt. Il existe en outre diverses façons de l'accommoder pour en faire la boisson hivernale par excellence.

Thé aux épices

En employant les bonnes épices, vous pourrez accroître l'effet réchauffant de votre thé vert. Pour une petite théière, il vous faudra :

4 cuillers à café de thé vert (de préférence du thé au jasmin semi-fermenté ou de l'Assam vert)
4 cuillers à café de miel
1 cuiller rase de cannelle
1 pincée de poivre fraîchement moulu
2 clous de girofle
1 pincée de cardamome

▶ Mélangez ensemble les feuilles de thé et les épices, puis mettez-les dans une théière que vous aurez préalablement préchauffée. Remplissez la théière d'eau bouillante, que vous aurez pris soin de laisser refroidir au moins quatre minutes. Laissez infuser pendant quatre minutes, filtrez et ajoutez le miel. Pour un maximum d'efficacité, le thé épicé doit être bu le plus chaud possible.

Boire le plus chaud possible

Réchauffe instantanément

Thé vert au rhum

Occasionnellement avec de l'alcool

En principe, il ne faut pas mettre d'alcool dans le thé vert, car cela lui fait perdre une grande partie de ses propriétés médicinales. Voici cependant une recette qui, dans certaines circonstances bien particulières, peut s'avérer intéressante. Pour 1 l de thé vous aurez besoin de :

5 cuillers à café de thé vert
1 cuiller à café de thé noir
4 cuillers à café de miel
2 cuillers à soupe de rhum brun

▶ Portez l'eau à ébullition et laissez-la refroidir pendant quatre à six minutes. Mélangez ensemble les feuilles de thé vert et de thé noir, puis versez l'eau bouillante par-dessus. Laissez le mélange infuser pendant environ quatre minutes, puis filtrez. Pour finir, complétez avec le rhum et le miel.

Biscuits au gingembre

Les biscuits au gingembre, dont voici la recette, accompagnent particulièrement bien le thé aux épices et le thé au rhum. Vous aurez besoin de :

Gingembre pour le thé d'hiver

360 g de farine de blé complète
2 œufs
3 cuillers de levure de boulanger
1 cuiller à café de sel
1/2 cuiller à café de gingembre en poudre
50 g de sucre de canne non raffiné
50 g de beurre
10 cl de thé vert corsé

▶ Mélangez la farine, le sucre, la levure et le sel.
▶ Battez les œufs avec le thé vert et le beurre ramolli
▶ Mélangez tous les ingrédients et pétrissez jusqu'à obtention d'une pâte ferme et lisse.
▶ Étalez la pâte de manière à ce qu'elle mesure 1 cm d'épaisseur. Découpez dedans des carrés de 5 × 5 cm et pliez-les en triangle.
▶ Disposez les triangles sur une plaque graissée, badigeonnez-les de thé vert au moyen d'un pinceau et faites-les cuire pendant 25 mn à 180 °C dans un four (préchauffé).

Santé et beauté

Sa composition chimique fait du thé vert un excellent remède naturel contre diverses affections. Des études scientifiques réalisées dans de nombreux pays ont confirmé que sa consommation régulière permettait de réduire nettement le risque de maladies cardiovasculaires et de cancers.
Dans ce chapitre, vous découvrirez comment, grâce au thé vert, prévenir certaines maladies, soulager les maux courants et prendre soin de vos cheveux et de votre peau.
Un jeûne de 5 jours vous permettra de désintoxiquer votre organisme, de perdre quelques kilos et d'amorcer des changements durables dans vos habitudes alimentaires.

Se soigner au thé vert

Pas d'effets secondaires, même en cas d'utilisation prolongée

Depuis toujours, l'homme utilise des plantes pour se soigner. Les remèdes naturels furent un temps dédaignés, mais on y revient progressivement, notamment en ce qui concerne le traitement des indispositions passagères et des troubles subjectifs. La plupart n'ont pas d'effets secondaires et peuvent être pris de manière prolongée. Sa composition chimique fait du thé vert un délicieux élixir de vie. Cette boisson ancestrale possède en outre toutes les qualités d'un remède naturel polyvalent : elle n'a pas d'effets secondaires, contient uniquement des substances naturelles et stimule les forces d'autoguérison de l'organisme. Des études scientifiques réalisées dans de nombreux pays ont montré que sa consommation régulière avait un effet extrêmement positif sur la santé de manière générale. Le thé vert est notamment très utile à titre préventif dans le traitement de certaines maladies. À côté de cette action prophylactique, il favorise aussi la guérison de nombreux troubles et affections.

Limites de l'autotraitement

- En règle générale, les remèdes naturels ne sont pas appropriés au traitement des maladies graves ou chroniques.
- Le thé vert est efficace contre beaucoup de maux courants. Si néanmoins les symptômes persistent au-delà de 3 à 5 jours, il convient de consulter un médecin.
- En tout état de cause, il faut limiter le thé vert au traitement des petites indispositions, telles que maux de tête, abattement, apathie, troubles du sommeil ou stress.
- Seul un médecin est habilité à traiter les affections graves ! Toutefois, le thé vert est souvent un auxiliaire précieux aux traitements médicamenteux et aux thérapies manuelles car il favorise le processus de guérison.
- Il est recommandé aux femmes enceintes de ne pas prendre de thé vert de manière prolongée sans en avertir leur médecin ou leur gynécologue.
- Il ne faut en aucun cas donner du thé vert à un enfant en bas âge.
- Suivez scrupuleusement toutes les indications en matière de préparation, de dosage et d'utilisation.

Effets thérapeutiques

Comme nous l'avons déjà vu dans les chapitres précédents, le thé vert est réputé depuis des siècles pour ses vertus médicinales exceptionnelles. Ainsi peut-on lire dans le livre du célèbre médecin hollandais Nicolas Tulp (1593-1674) intitulé « Observationes Medicae » : « Rien ne vaut le thé. Boire du thé met l'homme à l'abri des maladies et lui apporte longue vie ». À une époque comme la nôtre, où de plus en plus de gens ont envie de prendre leur propre santé en main, il n'y a donc pas à s'étonner que cet élixir de vie fasse tant d'adeptes. Une certaine euphorie s'empare même parfois de l'opinion lorsque sont publiés des résultats d'études attestant des incroyables vertus du thé vert. Mais qu'on ne s'y trompe pas ! Il ne s'agit pas d'un remède miracle ! En cas de troubles, même en apparence insignifiants, il est toujours préférable de consulter un médecin.

Éprouvé depuis des siècles

Pour savoir comment préparer le thé vert pour les différentes indications préconisées dans ce chapitre, reportez-vous à la page 42 (« méthode des deux théières »).

Action préventive

Le fait de boire régulièrement du thé vert peut contribuer à empêcher la survenue des affections suivantes :

- Artériosclérose
- Accidents vasculaires cérébraux
- Hypertension artérielle
- Cancers
- Diabète sucré
- Goutte
- Caries dentaires

Premiers soins

Le thé vert peut être employé comme traitement d'appoint pour les troubles et affections suivants :

- Inflammations de la bouche et de la gorge
- Troubles gastro-intestinaux (gastrite, diarrhée)
- Affections cutanées
- Refroidissements et grippe

Action préventive

De préférence tous les jours

Mieux vaut prévenir que guérir. Personne ne dira le contraire. Or la consommation régulière de thé vert (si possible sur une base quotidienne) peut contribuer à empêcher la survenue de maladies graves. Cela présuppose toutefois qu'on mène par ailleurs une vie saine et qu'on s'alimente bien.

Maladies cardiovasculaires

L'artériosclérose est une maladie qui touche surtout les personnes âgées. Elle se caractérise par une altération de la paroi des vaisseaux sanguins, sur laquelle se forment des dépôts de sels calciques. Le calibre des vaisseaux rétrécit, ce qui, dans les cas les plus graves, peut provoquer l'occlusion subite des vaisseaux et, par-là, déclencher un accident vasculaire cérébral ou un infarctus.

Le thé vert, consommé régulièrement, peut aider à prévenir ces affections cardio-vasculaires, voir empêcher leur survenue. Il agit positivement sur le taux de cholestérol total en faisant baisser le taux de cholestérol LDL (le mauvais) et augmenter le taux de cholestérol HDL (celui qui protège les artères). Cela a pour effet de faciliter la circulation du sang. La tendance à la formation de caillots sanguins diminue, et avec elle le risque d'occlusion artérielle. Le thé vert est enfin considéré comme un moyen naturel de se protéger contre l'hypertension artérielle.

Fait baisser le taux de cholestérol

Facilite la circulation du sang

Conduite à tenir :

▶ Pour vous prémunir contre l'artériosclérose (et donc contre les infarctus et les accidents vasculaires cérébraux), buvez deux ou trois fois par jour deux petites tasses de thé pauvre en théine (*Bancha* ou *Lu Shan Yun Wu*). Veillez toutefois à ne pas prendre votre thé tard le soir car cela pourrait vous empêcher de dormir.

▶ Veillez par ailleurs à manger sainement, à éviter les graisses et à faire au moins une demi-heure d'exercice par jour.

Contrecarrer le stress par une petite cérémonie du thé

Hypertension artérielle

L'élévation de la tension artérielle (hypertension) est souvent découverte lors d'une visite médicale de routine car elle ne se manifeste généralement par aucun symptôme, à moins qu'elle soit vraiment élevée, auquel cas elle peut provoquer des maux de tête, des vertiges et des acouphènes. Une hypertension persistante doit être prise très au sérieux car elle peut occasionner des troubles rénaux, des maladies des yeux, des atteintes cardiaques, voire des attaques cérébrales. Les principaux facteurs de risque de l'hypertension artérielle sont le surpoids, le manque d'exercice, l'abus d'alcool, le tabagisme et le stress.

Limiter les facteurs de risque

Conduite à tenir :

▶ Si vous souffrez d'hypertension, renoncez si possible totalement au café et au thé noir et buvez du thé vert à la place.

▶ Buvez chaque jour une grande tasse de thé vert au petit-déjeuner et au repas de midi. Choisissez de préférence un thé pauvre en théine, comme le *Bancha*.

▶ Pour contrecarrer le stress et l'agitation prenez régulièrement le temps de procéder à une petite cérémonie du thé (voir p. 48). Être calme et détendu peut jouer un rôle considérable dans la régulation de la tension artérielle.

Aide à réguler la tension artérielle

Faire beaucoup d'exercice et dormir suffisamment

▶ Réduisez le plus possible votre consommation d'alcool et de tabac.

▶ Faites du sport et veillez à dormir suffisamment.

Cancers

Par cancer, on entend un ensemble de maladie qui se caractérisent par une multiplication cellulaire anarchique pouvant se produire à n'importe quel endroit du corps. Ce phénomène peut être favorisé par une disposition héréditaire, un affaiblissement du système immunitaire ou des troubles psychiques de nature dépressive et déclenché par certains facteurs de risque, comme l'exposition aux rayons X, le tabac ou le stress.

L'EGCG bloque la croissance des cellules cancéreuses

Outre les multiples travaux effectués par des chercheurs japonais, des études américaines récentes ont montré que l'EGCG (voir p. 28) contenu dans le thé vert bloque efficacement l'urokinase, enzyme produite en grande quantité par les cellules cancéreuses, et inhibe de ce fait la croissance des cellules cancérogènes dans les poumons, l'estomac, l'intestin, le foie et la peau. La même action est attribuée aux bioflavonoïdes et aux saponines, que l'on y trouve également. Le thé vert est aussi une source intéressante de vitamine C et de vitamine A, substances qu'on suppose être des agents anticancéreux très efficaces.

Fournit des « vitamines anti-cancéreuses »

Dans les pays où l'on boit beaucoup de thé vert (notamment au Japon), certaines formes de cancer, telles que le cancer de l'intestin, de l'estomac ou des poumons, sont beaucoup moins fréquentes qu'en Europe.

Conduite à tenir :

Renforcer le système immunitaire

Pour que les cellules cancéreuses ne puissent pas se multiplier, il est important d'avoir un système immunitaire performant. Pour cela, la première chose est de prendre des mesures visant à renforcer les défenses naturelles de l'organisme. Avoir une alimentation saine, riche en vitamines et en fibres, pratiquer régulièrement une activité sportive et éviter les substances nocives (notamment le tabac), contribue considérablement à diminuer le risque de cancer.

▶ À titre préventif, buvez chaque jour trois ou quatre tasses (de 10 cl) de thé vert par jour. Pour accroître l'effet stimulant sur le système immunitaire, rien ne vous empêche d'y ajouter quelques gouttes de jus de citron fraîchement pressé.

Diabète sucré

Le diabète sucré est une maladie métabolique qui se caractérise par une élévation de la glycémie. Ce phénomène est dû à un déficit ou à l'absence totale d'insuline, hormone régulatrice de la glycémie, produite par le pancréas.
Le diabète sucré peut entraîner différents troubles, tels que mictions fréquentes, épuisement, perte de poids ou altérations cutanées. Avec le temps, on observe des troubles visuels, des troubles circulatoires et des atteintes rénales. Le diabète sucré comprend le risque de complications parfois fatales, comme le coma diabétique, état caractérisé par une perte de conscience et des troubles respiratoires. Il a été démontré que le thé vert a le pouvoir d'inhiber la transformation des polysaccharides en monosaccharides. Les glucides ingérés ont ainsi moins d'impact sur la glycémie.

Inhibe la transformation des polysaccharides en monosaccharides

Conduite à tenir :

Face à un diabète sucré, le médecin prescrit l'administration d'insuline et/ou un régime alimentaire spécifique. En plus de cela le malade peut influer positivement sur sa glycémie en pratiquant régulièrement une activité physique et en faisant des exercices de relaxation.

Faire du thé vert un réflexe quotidien

▶ Pour renforcer l'effet du traitement et de l'exercice, buvez tous les jours une tasse de thé vert avec chacun de vos repas.

Goutte

La goutte est une maladie métabolique qui se caractérise par une surcharge de l'organisme en acide urique. D'un point de vue symptomatique, on distingue entre la crise de goutte aiguë, qui se manifeste par des douleurs intenses et un gonflement des articulations, et la goutte chronique, caractérisée par des accès fréquents, des poussées inflammatoires et des déformations articulaires.

Une tasse de thé à chaque repas

Abaisse le taux d'acide urique

Les crises sont provoquées par des dépôts de cristaux d'acide urique dans les tissus et les articulations. Le thé vert est un aliment alcalin. À ce titre, il contribue à faire baisser la proportion d'acides dans l'organisme et notamment le taux d'acide urique, effet encore accru par son action diurétique.

Conduite à tenir :

Choisir un thé pauvre en théine

Alors que le seul moyen de vaincre une crise de goutte aiguë est généralement d'administrer des médicaments, la consommation régulière de thé vert peut agir préventivement sur la durée. C'est pourquoi l'on conseille souvent aux malades non seulement de changer en profondeur leurs habitudes alimentaires, mais aussi de remplacer si possible le café par du thé vert.

▶ Essayez d'éviter dans la mesure du possible la viande, le poisson et l'alcool. La viande de porc et la charcuterie, mais aussi la viande rouge et la volaille sont très déconseillées en cas d'excès d'acide urique.

Remplacer le café par du thé vert

▶ Buvez chaque jour au moins 1 litre de thé à teneur faible en théine (par exemple du *Bancha*), de préférence au moment des repas.

Caries dentaires

Les caries sont l'une des affections les plus courantes. Il s'agit d'une solubilisation de l'émail qui permet à certaines bactéries de se fixer sur les dents. Il peut y avoir à ce phénomène différentes causes, tels qu'hygiène bucco-dentaire insuffisante, alimentation riche en sucre ou une certaine prédisposition. En raison de sa teneur élevée en fluor, substance minérale très importante pour la dureté de l'émail, le thé vert peut avoir ici aussi un effet préventif. Par ailleurs, l'EGCG (voir p. 28) inhibe la multiplication des bactéries dans la cavité buccale, ce qui diminue considérablement le risque de caries.

Renforce l'émail

Conduite à tenir :

▶ Pour éviter les caries, le meilleur moyen est bien sûr d'avoir une alimentation diversifiée, pas trop riche en sucres et comprenant beaucoup de fruits, de légumes et de céréales complètes.

Deux ou trois tasses par jour à titre préventif

▶ Brossez-vous les dents après chaque repas.

▶ À titre préventif, buvez chaque jour deux ou trois tasses de thé vert, de préférence lors des repas.

Premiers soins

Accélère les processus de guérison

Non seulement le thé vert est un excellent moyen de prévention contre différentes maladies, mais il peut aussi servir de traitement d'appoint pour nombre de maux courants. Bien employé, il accélère souvent les processus de guérison et peut par conséquent compléter avantageusement un traitement médicamenteux ou une thérapie manuelle.

Inflammations de la bouche et de la gorge

Soulage en cas d'inflammation

Les substances immunostimulantes et anti-inflammatoires contenues dans le thé vert (vitamines C, tanins et flavonoïdes) soulagent rapidement les maux de gorge. En cas de gingivite, l'acide tannique resserre les vaisseaux sanguins, ce qui a pour effet d'arrêter les saignements. En stimulant la sécrétion de salive, le thé vert empêche les acides nocifs de se développer dans la cavité buccale, ce qui permet par la même occasion d'éviter les problèmes de mauvaise haleine.

Conduite à tenir :

En cas d'affection de la bouche ou de la gorge, il est conseillé de se gargariser régulièrement avec une solution à base de thé vert, qu'il est facile de préparer soi-même.

▶ Préparez un thé vert bien infusé : pour cela, comptez 2 bonnes cuillers pour une tasse de 20 cl. Versez l'eau bouillante sur les feuilles après l'avoir laissée un peu refroidir, puis laissez infuser environ 10 mn. Filtrez l'infusion et laissez-la refroidir suffisamment pour pouvoir l'utiliser sans vous brûler.

▶ Pour renforcer l'action du thé vert, vous pouvez y ajouter deux ou trois gouttes d'huile essentielle tea-tree ou d'extrait de pépin de pamplemousse (que vous pouvez vous procurer en pharmacie ou dans un magasin bio).

▶ En cas d'inflammation de la gorge, gargarisez-vous plusieurs fois par jour avec cette solution. Si vous souffrez de gingivite, servez-vous-en pour faire des bains de bouche.

Régulièrement et gargarismes pas trop chauds

▶ En cas de mauvaise haleine, il suffit souvent de bien se rincer la bouche avec du thé vert. Gardez l'infusion quelques minutes en bouche avant de la recracher. Ne l'avalez pas.

Troubles gastro-intestinaux

Contrairement au café, le thé vert n'irrite ni l'estomac ni l'intestin. Aussi est-il vivement conseillé à toute personne souffrant de troubles digestifs de remplacer le café par le thé vert. Celui-ci peut s'avérer particulièrement utile en cas de diarrhées, de troubles gastriques (par exemple de gastrite), d'aigreurs et de manque d'appétit. L'action anti-inflammatoire et antibiotique des saponines et des flavonoïdes qu'il contient permet la résolution des inflammations dans la région gastro-intestinale. Du fait de sa teneur élevée en minéraux, le thé vert est très efficace pour compenser les pertes dues à la déshydratation. Son action alcalinisante permet en outre de réduire l'acidité gastrique, ce qui a pour effet de protéger la muqueuse. Enfin, les tanins stimulent l'appétit et favorisent la digestion.

Protège la muqueuse gastrique

Conduite à tenir :

▶ En cas de diarrhée, il est très important de compenser les pertes dues à la déshydratation. Pour cela, préparez-vous plusieurs fois par jour un thé vert léger (voir recette p. 75).

▶ Si vous avez l'estomac sensible, il est préférable de renoncer totalement au café. Le thé vert n'irrite pas et est toujours très bien toléré. Par mesure de précaution jetez toutefois la première eau (voir p. 43), laissez infuser au moins cinq minutes et buvez uniquement lors des repas.

Le thé vert est très indiqué en cas d'estomac sensible

Jeter la première eau

▶ Pour trouver le calme intérieur, facteur important de guérison en ce qui concerne les problèmes d'estomac, procédez de temps à

Boisson reminéralisante

Cette boisson est recommandée en cas de diarrhée. Pour un litre, vous aurez besoin de :
50 cl de thé vert (de préférence du *Bancha*)
50 cl d'eau minérale
1 demi-citron
1 pincée de sel de mer iodé
▶ Préparez le thé comme indiqué à la page 42, mais en jetant la première eau. Laissez infuser trois ou quatre minutes, filtrez, puis laissez l'infusion refroidir. Pressez le citron et mélangez ensuite tous les ingrédients ensemble.

autre à une petite cérémonie du thé (voir p. 48).

▶ En cas de problèmes gastro-intestinaux, il faut éviter autant que possible les repas lourds, les épices, le café, l'alcool et le tabac.

Seulement lors des repas

▶ En cas d'aigreurs, faites de préférence plusieurs petits repas. Prenez votre thé vert (après avoir jeté la première eau) uniquement en mangeant.

Affections cutanées

Aide la peau à retenir l'eau

Le thé vert contient plusieurs principes actifs qui favorisent la régénération cellulaire de l'intérieur et rendent la peau moins vulnérable aux agressions de l'environnement. Les tanins la protègent contre les infections. Les saponines inhibent les inflammations (eczéma), soulagent les rougeurs (coups de soleil) et calment les démangeaisons. Le thé vert augmente en outre la capacité de la peau à retenir l'eau, ce qui permet d'éviter le dessèchement cutané.

Conduite à tenir :

▶ En cas d'eczéma, buvez trois ou quatre petites tasses de thé vert afin de favoriser la guérison de l'intérieur. Mais le thé vert peut également s'avérer efficace en usage externe pour soulager les démangeaisons.

Usage interne et externe

▶ Pour un bain au thé vert, mettez 3 cuillers à soupe de feuilles dans un broc et versez 1 litre d'eau bouillante par-dessus. Laissez infuser 10 minutes, puis versez l'infusion dans l'eau du bain (37 °C) en filtrant. Restez dans l'eau pendant au moins un quart d'heure.

▶ En cas de coup de soleil, faites des enveloppements froids. Mettez 4 cuillers à café de thé vert dans un grand récipient. Portez 2 litres d'eau à ébullition, laissez refroidir quelques instants, puis versez dans le récipient. Laissez infuser quatre minutes, filtrez, laissez l'infusion refroidir, puis mettez-la au réfrigérateur. Une fois le thé bien froid, ajoutez-y le jus d'un citron. Plongez un linge dans le thé, essorez-le délicatement, puis appliquez-le sur la partie à traiter. Laissez agir environ 20 minutes. Vous pouvez renouveler l'application plusieurs fois par jour si nécessaire.

Les enveloppements froids calment la peau irritée

▶ Pour compenser la perte hydrique occasionnée par le coup de soleil au niveau de la peau, buvez une grande quantité de thé vert mélangé à de l'eau minérale.

▶ Pour cela, mélangez un demi-litre de thé froid et un demi-litre d'eau minérale.

Refroidissements et grippe

Notre système immunitaire est aujourd'hui souvent soumis à rude épreuve. L'alimentation déséquilibrée, l'alcool, le tabac, le stress au travail et la pollution de l'environnement affaiblissent considérablement les défenses naturelles de l'organisme. Cela augmente notre susceptibilité aux infections, aux refroidissements et à la grippe. De nombreuses études ont démontré l'action immunostimulante du thé vert. Elle s'explique notamment par la teneur élevée de cette boisson en vitamine C. La vitamine C étant hydrosoluble, l'organisme ne peut pas la stocker. Il faut donc des apports réguliers par l'alimentation. Les saponines et les flavonoïdes contenues dans le thé vert ont une action antibactérienne et anti-inflammatoire.

La vitamine C stimule les défenses immunitaires

Les saponines et les flavonoïdes favorisent la résolution des inflammations

Mais on sait aussi que le psychisme joue un rôle important dans l'immunité. Il a été prouvé que les personnes équilibrées et optimistes tombent beaucoup moins souvent malades que les personnes déprimées. Le stress, l'agitation et les pensées négatives affaiblissent les défenses immunitaires, et c'est la porte ouverte aux infections.

Conduite à tenir :

Contre les maux de tête et les douleurs dans les membres

Pour se remettre le plus vite possible d'un refroidissement et éviter au maximum les symptômes concomitants tels que maux de tête, douleurs dans les membres ou abattement, nous recommandons une tisane à base de thé vert (voir ci-contre).

▶ Veillez à bien vous hydrater et buvez en plus du thé de l'eau minérale et des jus riches en vitamine.

▶ En cas d'inflammation des organes respiratoires ou de sinusite, faites des inhalations de thé vert. Pour cela, mettez 3 cuillers à soupe de feuilles de thé et une cuiller à soupe de camomille dans un récipient de taille moyenne, puis versez 1 litre d'eau bouillante par-dessus. Placez votre visage au-dessus du récipient et couvrez votre tête et vos épaules avec une serviette de toilette. Inhalez la vapeur pendant 10 mn alternativement par le nez et par la bouche. Ce faisant, gardez le visage à distance agréable de l'eau bouillante. Renouvelez l'opération plusieurs fois par jour si nécessaire.

L'inhalation de thé vert soulage les voies respiratoires

Tisane anti-refroidissement

▶ Choisissez un thé à teneur faible en théine, par exemple du *Bancha* ou du *Lu Shan Yun Wu*.

▶ Faites infuser les feuilles pendant cinq minutes dans de l'eau bouillante selon la méthode habituelle, puis filtrez et ajoutez par tasse une cuiller à café de miel extrait à froid, 2 cuillers à café de jus de citron fraîchement pressé et une demi-cuiller à café de gingembre en poudre.

▶ Buvez quatre tasses par jour.

Bancha ou Lu Shan Yun Wu

Fièvre

Bien s'hydrater

La fièvre n'est pas en soi une maladie, mais le signe que l'organisme est en train de lutter contre une « attaque » extérieure (bactéries ou virus) et que le processus naturel de guérison fonctionne. C'est pourquoi, en temps normal, il ne faut pas chercher à faire baisser la fièvre par des médicaments. Il suffit dans la plupart des cas de garder le lit et de bien s'hydrater. En plus de l'eau minérale et des jus riches en vitamines, il est recommandé de boire du thé vert en raison de ses propriétés immunostimulantes.

Faire baisser la fièvre par des enveloppements froids des mollets.

► En cas de fièvre, il est préférable de jeter la première eau (voir p. 43) et de laisser le thé refroidir avant de le boire.

► Si la fièvre devient trop forte ou si elle dure trop longtemps, il faut alors essayer de la faire baisser. Il existe pour cela un excellent remède naturel : les enveloppements froids des mollets.

► Préparez un litre de thé vert, laissez-le refroidir, puis mettez-le au réfrigérateur. Une fois l'infusion bien froide, rajoutez encore quelques glaçons. Mettez quatre litres d'eau froide dans un grand récipient et versez le thé glacé par-dessus. Plongez deux serviettes de toilette de taille moyenne dans le liquide, essorez-les délicatement et enroulez-les autour des mollets. Renouvelez l'application aussi longtemps que la fièvre n'a pas baissé.

Jeûne «forme et minceur» de 5 jours

Nous vivons à une époque où il est possible de se nourrir de manière optimale et de bénéficier en quantité suffisante de toutes les vitamines et minéraux dont l'organisme a besoin. Les magasins d'alimentation offrent en permanence un large choix de fruits et de légumes frais. Or, bien que l'on sache qu'une alimentation complète et équilibrée est indispensable à la santé et au bien-être, la plupart des gens se nourrissent mal. Leur régime alimentaire repose essentiellement sur la consommation de viandes grasses, de gâteaux, de sucreries, d'alcool et de café. Mais le principal problème tient au fait que la grande majorité des aliments que nous consommons sont traités et transformés. Surpoids et troubles gastro-intestinaux en sont la conséquence.

Alimentation complète et équilibrée – indispensable à la santé et au bien-être

Faut-il renoncer aux régimes ?

Depuis maintenant plusieurs décennies, on emploie les grands moyens pour vernir à bout des kilos en trop. Les régimes « poussent » comme les champignons. Qu'il s'agisse du régime pommes de terre, riz, macrobiotique, Hollywood ou cru, le constat est presque toujours le même : les kilos perdus reviennent au pas de charge à peine la diète terminée. Du coup, la science s'est penchée sur l' « effet yo-yo » et toutes les études ont mené à la même conclusion : dans la plupart des cas, les régimes font plus de mal que de bien. La seule façon de maigrir et de rester durablement mince est de changer ses habitudes alimentaires.

Seul un changement profond des habitudes alimentaires permet un succès durable

Pourquoi un jeûne ?

À moins d'une alimentation constamment irréprochable, l'expérience a montré qu'il était très utile de faire une ou deux fois par an un jeûne pour se détoxifier. Vous trouverez dans les pages suivantes la description d'un petit jeûne de 5 jours. Il ne s'agit pas à proprement parler d'un régime, mais plutôt d'un jeûne modéré qui vous offrira l'occasion de changer vos habitudes alimentaires. Pour pouvoir se défaire des mauvaises habitudes, surtout lorsqu'on y est attaché, il faut généralement disposer de « leviers ». Or c'est ainsi

Quelques jours de jeûne une ou deux fois par an

Mise en garde :

▶ Pour votre jeûne de 5 jours, attendez le moment propice. Il faut que vous puissiez être au calme et avoir tout votre temps devant vous. Le mieux pour cela est de profiter d'un congé, car sinon le stress de la vie courante risque de vous rattraper.
▶ Durant ces quelques jours de jeûne, essayez d'être le plus «zen» possible. Pour cela, n'hésitez pas à faire des exercices de relaxation ou de méditation.
▶ L'effet désintoxiquant du jeûne est renforcé par le mouvement et les massages. Faites chaque jour une grande promenade dans la nature, à pied ou en vélo. Si vous en avez la possibilité, faites-vous masser.
▶ Coupez-vous autant que faire se peut des sollicitations du monde extérieur (radio, télévision).
▶ Savourez votre thé vert et autres boissons lentement, en vous concentrant. Buvez toujours par petites gorgées et évitez les boissons très chaudes ou glacées.
▶ Si vous souhaitez compléter votre jeûne par des jus, diluez-les toujours avec de l'eau minérale selon un rapport 1 : 2.

Jeûne de 5 jours conçu comme levier

qu'est conçu ce jeûne. Durant une brève période, il vous permettra de rompre radicalement avec vos habitudes alimentaires et, une fois terminée, de repartir sur des bases saines. Le thé vert est ici un élément essentiel car il :
▶ détoxifie l'organisme

Désintoxique et purifie

▶ accélère l'élimination des déchets métaboliques toxiques
▶ a un effet diurétique et drainant
▶ apporte à l'organisme les vitamines et les minéraux dont il a besoin
▶ favorise la dégradation du mauvais cholestérol
▶ est alcalin et empêche de ce fait l'acidification des tissus
▶ harmonise le psychisme
▶ permet de résister à l'épuisement

Rééquilibre

Les trois phases du jeûne

Pour que votre jeûne de 5 jours porte ses fruits, il est important que vous respectiez les grandes règles s'appliquant à tout jeûne. Tout changement d'alimentation nécessite que l'on procède avec circonspection afin de ne pas déstabiliser l'organisme. Aussi faudra-t-il prévoir un temps d'adaptation. À cet égard, l'expérience a montré l'intérêt qu'il y a à observer tout d'abord un jour de «préjeûne» où l'on ne prend en principe que des légumes et des fruits frais. Le matin du deuxième jour (premier jour de jeûne), on procède à un nettoyage de l'intestin. Ce jour-là ainsi que les deux suivants, on ne prend que des aliments liquides afin de débarrasser l'organisme de ses toxines. Le cinquième et dernier jour de jeûne est appelé journée de reconstitution. Il s'agit alors de rompre le jeûne en douceur et de se réhabituer aux aliments solides.

Temps d'adaptation

La préparation

Avant d'entamer votre jeûne, assurez-vous d'avoir chez vous tout ce dont vous aurez besoin.

Organisez-vous pour faire vos courses avant le jour de préjeûne afin de ne pas avoir à courir les magasins une fois le jeûne commencé.

Liste des achats

50 g de thé vert, de préférence *Bancha*, *Gyokuro* ou *Lu Shan Yun Wu*
6 bouteilles d'eau minérale
3 bouteilles de jus de fruit (au choix)
1 bouteille de jus de légume
5 citrons non traités
2 pommes, 2 bananes
300 g de carottes, 500 g de pommes de terre, 250 g de tomates, 3 oignons, 250 g de poireaux ou de courgettes
1 laitue
Herbes fraîches
Sel de mer
Bouillon aux légumes en poudre (magasin bio)
1 paquet de craque-pain
250 g de fromage blanc (maigre)
250 g de müesli
1 pot de crème fraîche
Huile d'olive
40 g de sulfate de sodium (pharmacie)

Préparation du thé

Jeter la première eau

- Portez 1,5 l d'eau à ébullition, puis laissez-la refroidir 10 mn.
- Mettez 8 cuillers rases de thé dans une théière et versez l'eau bouillante par-dessus. Laissez infuser tout au plus une minute.
- Jetez la première eau et faites à nouveau infuser les feuilles dans 1,5 l d'eau bouillante.
- Laissez infuser cette fois environ quatre minutes.
- Versez le thé dans un thermos en le filtrant.
- Ajouter si vous le souhaitez une cuiller à café de miel.

Préparation de la soupe de légumes

Une assiette de soupe chaque jour

Durant le jeûne, vous devrez manger chaque jour une assiette de soupe préparée avec les ingrédients figurant sur la liste d'achats.

- Mettez 1 pomme de terre, 2 petites carottes, 1 tomate et un peu de poireau ou de courgette coupés en petits morceaux dans un fait-tout et faites revenir brièvement dans un peu d'huile d'olive.
- Ajoutez 1/2 litre d'eau ainsi qu'une cuiller à café de poudre de bouillon aux légumes. Portez le tout à ébullition, puis baissez la flamme et laissez mijoter pendant environ 20 mn.
- Assaisonnez en ajoutant une pointe de sel de mer.

Il peut être utile de tenir un journal de jeûne

Jour de « préjeûne »

Aliments complets les plus légers possible

Lors du jour de « préjeûne » et de la journée de reconstitution, les repas doivent se composer d'aliments complets les plus légers possible. Durant ces deux journées de transition, vous vous nourrirez donc surtout de légumes et de fruits frais. Il vous faudra par ailleurs renoncer totalement aux purs produits d'agrément, tels qu'alcool, cigarette, café ou sucre. En dehors de cela, vous ferez exactement ce qu'il vous plaira. Pour réduire au maximum l'exposition de l'organisme aux toxines, il est important de choisir, dans la mesure du possible, des produits issus de l'agriculture biologique.

Petit-déjeuner

1 grande tasse de thé vert

1 petit bol de müesli avec une pomme râpée et un peu de crème fraîche

1 banane

Déjeuner

1 grande tasse de thé vert

1 assiette de soupe de légume

1/2 laitue (assaisonné avec de l'huile d'olive, du citron, 1 cuiller à café d'herbes hachées et une pincée de sel de mer)

Dîner

2 verres de jus dilué avec de l'eau minérale (rapport 1 : 2)

2 tranches de craque-pain avec du fromage blanc et des herbes fraîches

1 tomate avec un peu de sel de mer

Nettoyage de l'intestin

Le jeûne proprement dit commence le matin du deuxième jour par un nettoyage complet de l'intestin. Le sulfate de sodium s'est avéré très efficace pour stimuler la vidange du côlon.

► Mettez 40 g de sel de Glauber dans 1/2 litre d'eau, mélangez et buvez en l'espace de trois quarts d'heure la solution ainsi obtenue. Dans les trois heures qui suivent l'ingestion, votre intestin se videra plusieurs fois, comme lors d'une diarrhée.

Le sel de Glauber stimule la vidange de l'intestin

▶ Pour atténuer le goût salé de la solution, vous pouvez y ajouter un peu de jus de citron.

Deuxième, troisième et quatrième jours

Pas d'acidification

Après le jour de «préjeûne», vous ne prendrez plus que des aliments liquides. Les boissons de jeûne apportent des vitamines, des minéraux ainsi que des glucides alcalins faciles à assimiler, ce qui permet d'éviter que les tissus ne s'acidifient durant le jeûne. Buvez ces boissons au moment où cela vous convient le mieux et prenez tout votre temps pour les savourer.

▶ Buvez chaque jour 1,5 l de thé vert en répartissant les prises tout au long de la journée, jusqu'à 18 heures. Savourez à chaque fois votre thé dans le calme, exactement dans le même esprit que pour une petite cérémonie du thé (voir p. 48).

▶ Buvez en plus 1 à 2 litres d'eau minérale ou de jus dilué (selon un rapport de 1 : 2).

▶ Prenez chaque jour 2 cuillers à soupe de jus de citron fraîchement pressé, soit dans un jus dilué, soit dans le thé vert.

▶ Préparez-vous pour le midi une assiette de soupe avec des légumes frais que vous passerez au mixeur.

Journée de reconstitution

L'occasion de passer à une alimentation plus saine

Avant de revenir à une alimentation essentiellement solide, il faut offrir à son organisme une journée de reconstitution. La façon de rompre le jeûne, et la nourriture reconstituante qui va avec, sont aussi importantes que la préparation et le déroulement du jeûne lui-même. Cela est d'autant plus vrai que l'organisme passe plus facilement d'une alimentation normale au jeûne que du jeûne à une alimentation normale. Et n'oubliez pas que ce jeûne de 5 jours peut être l'occasion pour vous de modifier durablement vos habitudes alimentaires.

Boire toujours beaucoup de thé vert

Petit-déjeuner

1 grande tasse de thé vert

1 pomme râpée ave un peu de crème fraîche

Déjeuner

1 grande tasse de thé vert

1 assiette de pommes vapeur avec fromage blanc aux herbes

1/2 laitue assaisonnée (voir p. 83)

Dîner

2 verres de jus de fruit ou de légumes mélangés avec de l'eau minérale (selon un rapport de 1 : 2)

1 petite assiette de soupe de légumes

1 tranche de craque-pain avec du fromage blanc et des herbes fraîches

Thé vert et beauté

Le thé vert n'est pas seulement savoureux et bon pour la santé. Il peut aussi être employé à des fins cosmétiques. Cela n'a pas échappé aux fabricants de produits de beauté et l'on trouve aujourd'hui dans le rayon parapharmacie des grands magasins de plus en plus de crèmes, laits et autres lotions à base de thé vert.

Au Japon et en Chine, ces produits existent depuis longtemps car le thé vert y est traditionnellement utilisé pour les soins de la peau et de cheveux. Dans la Chine ancienne, il était admis que le thé vert «illuminait le teint et faisait briller les yeux». D'ailleurs la teneur en extrait végétal des produits de beauté à base de thé vert y est actuellement encore souvent beaucoup plus élevée qu'en Europe. Cette différence s'explique aussi par l'aspect verdâtre, voire marron, que le thé vert, à fortes doses, peut conférer aux crèmes et aux lotions, chose qui chez nous ne «passe» pas. Quoi qu'il en soit, veillez tout de même à ce que les produits que vous achetez contiennent le plus de thé vert possible.

► Choisissez des produits contenant le moins possible de conservateurs et de parfums.

La beauté vient de l'intérieur – Boire régulièrement du thé vert y contribue

Produits à base de thé vert

- Raffermissent la peau en raison de leur teneur en tanins et lui confèrent un aspect plus lisse et plus jeune.
- Protègent la peau contre le dessèchement car très hydratants.
- Régulent le film hydrolipidique de la peau.
- Contiennent des substances anti-inflammatoires et calment les peaux irritées ou rougies.

▶ Achetez vos produits de préférence en pharmacie ou en parfumerie et n'hésitez pas à poser des questions sur les ingrédients. Les magasins bio proposent également des soins à base de thé vert, souvent intéressants car exempt d'additifs chimiques.

Exempts d'additifs chimiques

Soins du visage

Pour les soins du visage, deux types de produits sont absolument indispensables : la lotion ou le lait nettoyant et la crème hydratante (pour le jour et pour la nuit). En cas de problèmes cutanés spécifiques (par exemple peau grasse et à tendance acnéique ou peau sèche), il faut bien sûr choisir des produits adaptés.

Nettoyage

Le nettoyage consciencieux de la peau est le B.A.-BA des soins du visage. Avant d'appliquer une crème de jour ou une crème de nuit, vous pouvez vous nettoyer le visage tout en douceur avec du thé vert.

Nettoyage au thé vert tout en douceur

▶ Préparez une petite quantité de thé – une cuiller rase de feuilles pour 10 cl d'eau suffit largement. Laissez le thé infuser cinq minutes, puis refroidir pendant au moins une demi-heure.

▶ Commencez par vous brosser délicatement la peau du visage avec une brosse spécialement conçue pour cela (disponible en pharmacie et en parfumerie).

▶ Plongez ensuite un tampon d'ouate ou un gant de toilette dans le thé et passez-le soigneusement sur votre visage.

▶ Une fois l'opération terminée, essuyez-vous le visage sans frotter, puis appliquez votre crème de jour ou votre crème de nuit à base de thé vert.

Fabriquer ses propres cosmétiques

Si vous ne voulez pas acheter vos produits de soins au thé vert dans le commerce, rien ne vous empêche de les fabriquer vous-même. C'est facile et ça revient moins cher. Seul inconvénient, les produits maisons ne se conservent pas longtemps – tout au plus trois semaines au réfrigérateur. Aussi lors de la fabrication faut-il s'en tenir à de petites quantités. L'infusion elle-même est quasiment inutilisable en cosmétique car elle rend les crèmes et les lotions trop liquides (voir p. 91). Le seul moyen est donc de préparer un extrait contenant tous les principes actifs de la plante sous forme très concentrée. Ce produit devra être exclusivement réservé à l'usage externe !

S'en tenir à des petites quantités

Uniquement réservé à l'usage externe

Extrait de thé vert

Pour la préparation, vous aurez besoin de :
15 cl d'eau
5 bonnes cuillers de thé vert (par exemple *Gyokuro*)
▶ Portez l'eau à ébullition et laissez-la refroidir pendant trois minutes, pas plus. Versez ensuite l'eau sur les feuilles de thé, couvrez la tasse ou le bol et laissez infuser 15 mn, puis filtrez.

Crème pour le visage

Les crèmes de soin protègent, hydratent et nourrissent la peau. Pour la préparation d'une crème de soin pour le visage, vous aurez besoin de :

- 3 cuillers à café de thé vert (*Bancha* ou *Lu Shan Yun Wu*)
- 100 ml d'eau
- 3 g de beurre de cacao
- 6 g de cire d'abeille
- 15 g (environ 2 bonnes cuillers à thé) de lanoline anhydre
- 1 cl d'alcool (70°)
- 7 cl d'huile de sésame ou d'huile d'olive
- Huile essentielle de lavande ou d'orange
- 1 g de borax

▶ Portez l'eau à ébullition et laissez-la refroidir pendant 5 mn, puis versez-la sur les feuilles de thé et laissez infuser 10 mn. Filtrez et laissez refroidir.
▶ Faites fondre le beurre de cacao, la cire d'abeille et la lanoline dans une petite casserole. Ajoutez ensuite l'huile de sésame ou d'olive ainsi que l'alcool. Laissez chauffer jusqu'à ce que tous les ingrédients forment une masse translucide.

▶ Dissolvez le borax dans le thé et versez la solution ainsi obtenue dans la masse fondue. Placez la casserole dans un récipient d'eau froide et mélangez le contenu au moyen d'un mixeur que vous réglerez sur la vitesse la plus lente. Laissez tourner jusqu'à refroidissement complet de la crème.

Quelques gouttes d'huile essentielle

▶ Juste avant la fin, vous pouvez ajouter deux ou trois gouttes d'huile essentielle de lavande ou d'orange.

▶ Mettez la crème terminée dans un petit pot que vous aurez au préalable soigneusement nettoyé.

▶ Conservez la crème dans un endroit frais (de préférence au réfrigérateur) et utilisez-la dans les trois semaines qui suivent.

Masque contre les impuretés

En cas de peau grasse et présentant des impuretés, il est recommandé de faire régulièrement un masque à l'argile et au thé vert. Vous aurez pour cela simplement besoin d'un peu de thé vert et d'argile verte, que l'on trouve en pharmacie et dans les magasins bio. Pensez simplement à bien préciser que c'est pour l'usage externe, car il existe aussi de l'argile pour l'usage interne.

Argile à usage externe

Un masque à l'argile verte et au thé vert pour clarifier la peau

▶ Préparez une petite tasse de thé vert (4 cuillers à café de *Bancha*). Laissez infuser 10 mn., puis tiédir.
▶ Mettez 2 cuillers à soupe d'argile dans le thé et tournez jusqu'à ce que vous obteniez une pâte applicable.
▶ Étalez la pâte uniformément sur le visage et laissez le masque agir pendant une demi-heure, pas plus.
▶ Rincez ensuite soigneusement votre visage à l'eau chaude, séchez-le sans frotter et appliquez une crème hydratante.
▶ Renouvelez l'opération le plus régulièrement possible sur une longue période, de préférence en début de soirée.

Masque pour peau sèche

Les peaux sèches ont besoin de quelque chose d'un peu plus gras. Un masque au thé vert, au miel, au son de blé et à l'avocat peut ici donner d'excellents résultats.

Miel
son de blé
et avocat

▶ Préparez tout d'abord une tasse de thé vert (4 cuillers à café de *Bancha*) et laissez-le refroidir.
▶ Mélangez ensuite ensemble 4 cuillers à soupe d'infusion chaude et 2 cuillers à soupe de miel liquide.
▶ Ajoutez 2 cuillers à soupe de son de blé et 1 cuiller à soupe de chair d'avocat frais. Mélangez le tout de manière à obtenir une bouillie épaisse.
▶ Appliquez ce masque uniformément sur votre visage et laissez agir une demi-heure, pas plus.

Soins du corps

Le thé vert permet de retrouver une peau éblouissante, car il fait circuler le sang et alimente les tissus en minéraux essentiels. S'en servir pour faire sa toilette, de préférence le matin au réveil, est en outre un excellent moyen pour stimuler les défenses immunitaires de l'organisme. Vous aurez besoin pour cela de 2 l d'infusion froide (préparation, voir p. 42) et de 2 cuillers à soupe de vinaigre de cidre.

Une peau
éblouissante

Toilette au thé vert

▶ Versez le thé dans une bassine et ajoutez le vinaigre. Plongez-y un gant de toilette et essorez-le légèrement.
▶ Commencez votre toilette en faisant glisser le gant mouillé de la hanche gauche jusqu'au pied gauche en passant par le devant de la cuisse et de la jambe. Passez sur le dos du pied, puis sur la plante et remontez par l'arrière de la jambe et de la cuisse jusqu'à la fesse et au bas du dos. Plongez à nouveau le gant dans la bassine de thé et procédez de même avec l'autre jambe.

Avec du
vinaigre
de cidre

▶ Pour le haut du corps, prenez le gant de toilette dans la main gauche, plongez-le dans la bassine et faites-le glisser de l'épaule droite jusqu'à la main en passant par la face interne du bras et de l'avant-bras, puis remontez par la face externe jusqu'à l'épaule, d'où vous irez jusqu'au sein droit, puis au côté droit du ventre. Prenez ensuite le gant dans la main droite, plongez-le à nouveau dans la bassine de thé et procédez de même avec le côté gauche.

Bain de beauté au thé vert

Agit positivement sur le film hydrolipidique et régénère la peau

En règle générale, on prend un bain moins pour se laver que pour se délasser et se pomponner. La chaleur agréable détend et on se laisse aller à ses pensées. Le bain de beauté au thé vert est un moyen simple et efficace pour prendre soin de sa peau. Les principes actifs du thé agissent positivement sur le film lipidique et régénèrent la peau.

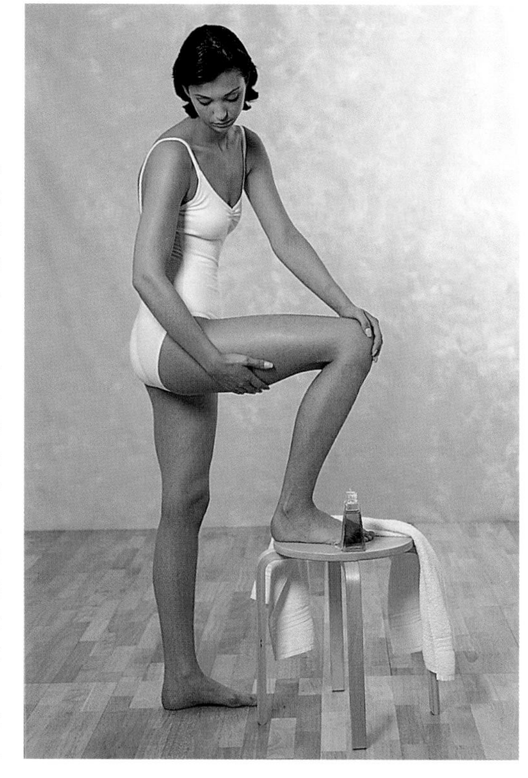

▶ Portez tout d'abord 1 litre d'eau à ébullition, puis laissez-la refroidir quelques minutes. Mettez 4 cuillers à soupe de thé vert (*Bancha*) dans un broc, versez l'eau bouillante par-dessus et laissez infuser pendant 3 mn. Pendant ce temps, faites couler l'eau du bain.

Lotion corporelle à l'extrait de thé vert pour hydrater la peau

▶ Une fois le thé infusé, versez-le dans l'eau du bain et ajoutez un 1/2 litre de lait. Pour une efficacité maximale, l'eau doit être à 37-38 C. Restez dans le bain 10 à 15 mn.

Lotion corporelle au thé vert

Pour hydrater la peau après la toilette ou le bain, il faut employer une lotion d'excellente qualité, contenant le moins de colorants et de parfums artificiels possible.

▶ Mettez 10 gouttes d'extrait de thé vert (voir p. 87) dans une cuiller à soupe de lotion et mélangez.

▶ Pour une hydratation optimale, veillez à ce que votre peau soi bien sèche avant d'appliquer la lotion.

Soins capillaires

Pour avoir les cheveux souples et brillants, il ne suffit pas d'employer des produits adaptés, il faut aussi veiller à ce que l'organisme bénéficie en permanence de suffisamment de vitamines et de minéraux. En plus d'une alimentation saine, les cheveux ont besoin d'air et de soleil. Le cuir chevelu lui-même doit pouvoir respirer.

Cheveux brillants

Le thé vert convient non seulement pour les soins cutanés, mais aussi pour les soins capillaires. Les rinçages au thé vert redonnent souplesse et éclat aux cheveux rendus ternes et cassants par les lavages fréquents, le séchoir et les teintures.

▶ Portez 1 l d'eau à ébullition et laissez-la refroidir pendant 10 mn.

▶ Mettez 2 cuillers à soupe de thé vert et 2 cuillers à soupe de camomille dans un broc et versez l'eau bouillante par-dessus. Laissez infuser pendant 10 mn, puis transvasez dans une théière en filtrant. Laissez refroidir pendant au moins 15 mn.

Avec de la camomille

▶ Faites un shampoing et rincez-vous les cheveux avec l'infusion de thé et de camomille. Ne les passez pas à l'eau.

Les rinçages au thé vert assouplissent les cheveux cassants

Bibliographie

Blofeld, J. : *Thé et Tao – L'art chinois du thé*, Albin Michel, 1986

Hammitzsch, H. : *Zen in the Art of the Tea Ceremony*, Arkana, 1993

Maronde, C. : *J'aime le thé*, Les Hautes Plaines de Mane, 1969

Opplinger, P. : *Le thé vert – Délices et forces curatives de la plante du thé*, Viridis, 1998

Dans la même collection

Carewitz O., Carewitz D. B. : *En finir avec la cigarette*

Collier R. : *Renaître grâce à une cure intestinale*

Flade S. : *Allergies*

Frohn B. : *Anti-âge*

Hofmann I. : *Rester mince après 40 ans*

Khun D. : *Minceur et santé pour votre enfant*

Kraske E-M. : *Équilibre acide-base*

Küllenberg B. : *Les bienfaits du vinaigre de cidre*

Lackinger Karger Dr I. : *La ménopause*

Langen D. : *Le training autogène*

Lesch M., Forder G. : *Kinésiologie : réduire le stress et renforcer son énergie*

Pfennighaus D : *Se sentir bien pour mieux vivre*

Pospisil E. : *Le régime méditérranéen*

Sabnis N. S. : *Mincir en douceur gâce à l'Ayurveda*

Sator G. : *Feng Shui. Habitat et harmonie*

Schmidt S. : *Fleurs de Bach et harmonie intérieure*

Schutt K. : *Massages*

Schutt K. : *Ayurveda*

Sesterhenn B. : *Purifier son organisme*

Stellmann H. -M. : *Médecine naturelle et maladies infantiles*

Tempelhof S. : *Fatique chronique, Fibromyalgie*

Tempelhof S. : *Ostéopathie*

Stumpf W. : *Homéopathie pour les enfants*

Voormann C. et Dandekar G. : *Massage pour bébé*

Wagner F. : *L'acupression digitale*

Wagner F. : *Le massage des zones réflexes*

Werner M. : *Les huiles essentielles*

Werner G. T. et Nelles M. : *L'école du dos*

Wiesenauer Dr M. et Kerckhoff A. : *Homéopathie anti-stress*

Zauner R. : *Soigner le dos par des méthodes naturelles*

Adresses utiles

Chajin - La maison du thé vert japonais
24, rue Pasquier 75008 Paris
Tél. : 01 53 30 05 24

Musée du thé Mariage Frères
30-32, rue du Bourg-Tibourg
75004 Paris
http ://www.mariagefreres.com

TEMAE – La gazette du thé
http ://www.temae.net/gazette

Association Zen Internationale
175, rue de Tolbiac
75015 Paris
Tél. : 01 53 80 19 19 –
01 53 80 14 33
http://www.zen-azi.org

Centre Parisien de Zen Kwan Um
35, rue de Lyon
75012 Paris
Tél.: 01 44 87 07 70
http ://www.pariszencenter.com

Index